LES QUESTIONS DE CRATON
ET LEURS COMMENTAIRES

STUDIEN UND TEXTE ZUR GEISTESGESCHICHTE DES MITTELALTERS

HERAUSGEGEBEN VON

Dr. ALBERT ZIMMERMANN

PROFESSOR AN DER UNIVERSITÄT KÖLN

BAND XIV

LES QUESTIONS DE CRATON
ET LEURS COMMENTAIRES

LEIDEN — KÖLN
E. J. BRILL
1981

LES QUESTIONS DE CRATON

ET LEURS COMMENTAIRES

ÉDITION CRITIQUE PAR

OLGA WEIJERS

LEIDEN — KÖLN
E. J. BRILL
1981

La publication de cet ouvrage a été rendu possible par une subvention de l'Organisation Néerlandaise pour le Développement de la Recherche Scientifique (Z.W.O.).

Sur l'avis de M. A. Vernet, directeur d'études, et de MM. G. Beaujouan et Y. Lefèvre, commissaires responsables, le présent mémoire a valu à Mlle Olga Weijers le titre d'élève diplômée de la Section des sciences historiques et philologiques de l'École Pratique des Hautes Études.

Le directeur d'études:
Signé: A. VERNET

Les commissaires responsables:
Signé: G. BEAUJOUAN
Y. LEFÈVRE

Le président de la Section:
Signé: M. FLEURY

A Paris, le 20 avril 1980

ISBN 90 04 06340 4

à Sadi

TABLE DES MATIÈRES

AVANT-PROPOS

Comme un certain nombre de lecteurs médiévaux, j'ai été intéressée, lors de ma lecture du *De disciplina scolarium*, par le passage relatif aux «Questions de Craton». Je m'étais promis à l'époque d'étudier ce sujet de plus près et ce sont mes semblables d'il y a sept siècles qui m'ont préparé la voie en composant des commentaires érudits pour répondre aux questions posées par Craton.

Les *Questions de Craton* forment une partie du *De disciplina scolarium*, ouvrage du Ps-Boèce écrit vers 1230-40, ou, pour être plus précis, une partie d'un *exemplum* figurant dans le texte. Il s'agit de l'*exemplum* du Fils de l'Inconstance. Celui-ci, après avoir erré et recherché diverses occupations, vint chez le philosophe Craton qui avait écrit l'essence de son enseignement sur le demi-cercle de sa chaire. Ces questions, réparties sur trois demi-cercles, concernent les sciences de la nature; le premier cercle a trait à la cosmographie, le second à l'astrologie et la météorologie, le troisième à l'histoire naturelle.

Le passage a été considéré comme représentant un grand intérêt. Il a été amplement commenté dans le contexte du *De disciplina scolarium* et isolément. On peut discerner plusieurs commentaires sur les *Questions*. Deux d'entre eux datent du XIIIe s., le reste de la fin du moyen âge. Un des commentaires, trouvé dans des manuscrits du XIIIe s. (sous forme indépendante dans trois manuscrits, dans les marges du texte du *De disc. scol.* dans six autres manuscrits), fait l'object de la présente édition.

L'édition a été entreprise dans l'espoir de pouvoir contribuer à l'histoire de la connaissance du terrain des sciences au moyen âge. L'introduction veut fournir des renseignements sur le rôle que ce commentaire peut avoir joué en ce domaine, mais aussi dans la situation ambiguë créée par l'interdiction de certains textes d'Aristote à l'Université de Paris.

Puisque ma première reconnaissance de ce vaste terrain a eu lieu à l'École pratique des hautes études aux conférences de M. Guy Beaujouan et que j'ai eu l'occasion d'y défendre un premier rapport sur mes travaux concernant les *Questions* aux conférences de M. André Vernet, il m'a paru naturel de présenter cet ouvrage comme thèse à cette École.

J'ai été honorée et heureuse que M. Vernet, qui avait déjà contribué activement à ma thèse à l'Université de Leyde, ait bien voulu être cette fois mon directeur de thèse. Je suis reconnaissante à M. Beaujouan d'avoir bien voulu, comme premier rapporteur, accepter de consacrer un temps précieux et sa clairvoyance de spécialiste à ce travail et à M. Yves Lefèvre d'avoir apporté avec dévouement sa contribution de second rapporteur.

J'adresse mes sincères remerciements à ceux qui m'ont fait bénéficier de leurs conseils et en particulier à Mlle Marie-Thérèse d'Alverny (Paris) et M. Brian Lawn (Londres).

Je suis heureuse de pouvoir remercier une fois encore mon ami Sadi de Gorter de la façon dont il s'est acquitté de la tâche ingrate de corriger le texte français. Les louanges qui m'ont été adressées pour la clarté de la langue lui reviennent entièrement.

Comme mes premières publications sont parues dans la série «Studien und Texte zur Geistesgeschichte des Mittelalters», il m'est agréable que M. Albert Zimmermann accueille cette nouvelle contribution de ma main, de sorte que les *Questions de Craton* restent étroitement associées au *De disc. scol.* dont elles proviennent.

J'exprime ma gratitude à l'Organisation néerlandaise pour le développement de la recherche scientifique (Z.W.O.) d'avoir accordé de nouveau sa généreuse contribution pour la publication de cette étude.

Les Éditions Brill ont rempli avec efficacité la tâche compliquée de la composition du texte en l'entourant de leurs bons soins et de la qualité qu'on leur connaît.

BIBLIOGRAPHIE

AUTEURS ET TEXTES MÉDIÉVAUX

Abu Ma'shar, *vid.* Lemay.

Adélard de Bath, *Quaestiones naturales, ed.* M. Müller, dans «Beiträge zur Geschichte der Philos. des Mittelalters» XXXI, 2 (1934).

Aegidius, *vid.* Giles.

Albert le Grand, *De generatione et corruptione, ed.* A. Borgnet, *Opera* t. IV, Paris 1890.

——, *Meteora, ibid.*

——, *De caelo et mundo, ed.* P. Hossfeld, dans *Opera omnia, ed.* B. Geyer, t. V. pars 1, Münster in W. 1971.

——, *De mineralibus,* traduction par D. Wyckoff, Oxford 1967.

Pseudo-Albert le Grand, *De secretis mulierum . . ., ed.* Argentorati Haer. 1637.

Alexandre Neckam, *De naturis rerum, ed.* Th. Wright, dans Rolls Series 34 (1863).

Anonymus 1238, *vid.* Thorndike, *Latin Treatises.*

Aristote, *Opera, ed.* Bekker, 1831.

——, *De mundo, ed.* W. L. Lorimer, Rome 1951 (*Aristoteles Latinus* XI, 1-2).

——, *Physica, ed.* A. Mansion, Bruges/Paris 1957 (*Arist. Latinus* VII, 2).

——, *Meteor. lat.* = *Meteorologie, ed.* P. L. Schoonheim, Leyde 1978 (diss.).

Pseudo-Aristote, *Problemata = Die Übersetzung der Ps-Arist. Problemata durch Barthol. von Messina, ed.* R. Seligsohn, Berlin 1934.

Asaph, *vid.* M.-Th. d'Alverny, *Les Pérégrinations.*

Averroès, *Commentarium medium in Arist. de gener. et corr., ed.* F. H. Fobes, The Med. Acad. of America 1956 (*Corpus Comment. Averrois in Arist., Versio latina* IV, 1).

Avicenne, *Liber canonis . . .,* Venise 1544.

Bacon, Roger, *Opus maius, ed.* J. H. Bridges, Londres/Edinbourg/Oxford 1900.

Barthélemy l'Anglais, *De rerum proprietatibus,* Frankfurt 1601 (réimpr. Minerva, Frankfurt a.M. 1964).

Bède, *Nat. = De rerum natura, ed.* Migne, *Patrologia Latina* 90 col. 187-278.

——, *Temp. = De temporum ratione, ed.* C.W. Jones, *Bedae Opera de Temporibus,* Cambridge (Mass.) 1943.

Bernard Silvestre, *De mundi universitate, ed.* C. S. Barach-J. Wrobel, Innsbruck 1876; *ed.* P. Dronke, Leyde 1978.

Calcidius = *Timaeus a Calcidio translatus . . ., ed.* J. H.Waszink, Londres/Leyde 1962 (*Plato Latinus* IV).

Chartularium Universitatis Parisiensis, ed. H. Denifle-A. Chatelain, Paris 1889-94.

Compendium philosophiae ou *Compilatio de libris naturalibus, vid.* Pelzer et de Boüard.

Daniel de Morly, *De naturis inferiorum et superiorum, ed.* K. Sudhoff, dans «Archiv für die Geschichte der Naturwissensch. und der Technik» VIII, 1 (Leipzig 1917) p. 1-40. Corrections de A. Birkenmajer, *ibid.* IX, 1 (1920) p. 45-51.

De imagine mundi (Honorius d'Autun), *ed.* Migne, *Patrol. Latina* 172 col. 121-186.

Galien, *Libri duo de semine,* dans *Marcelli . . . de medicamentis . . . liber . . . Item Cl. Galeni libri novem,* Bâle 1536.

Gilles de Corbeil, *De urinis* dans *Carmina Medica,* ed. L. Choulant, Leipzig 1826.

Gilles de Lessines, *vid.* Thorndike, *Latin Treatises.*

Grosseteste, Robert, *Commentarius in VIII libros Physicorum Aristotelis,* ed. R. C. Dales, Boulder (Color.) 1963.

——, *De cometis,* ed. L. Baur, *Die philosophische Werke des Robert Grosseteste* dans «Beiträge zur Geschichte der Phil. des Mittelalters» IX (1912) p. 36-41.

——, *De coloribus,* ed. L. Baur, *ibid.* p. 78-9.

——, *Quaestio de accessu et recessu maris,* ed. E. Franceschini, *Un inedito di Roberto Grosseteste: la Quaestio de accessu et recessu maris,* dans «Rivista di filosofia neo-scolastica» 44 (1952) p. 11-21; réimpr. dans *Scritti di filologia latina medievale* (Padua 1976) 2 p. 545-59; ed. R. C. Dales, *The Text of Robert Grosseteste's Quaestio . . . with an English Translation,* dans «Isis» LVII (1966) 455-474.

Guillaume de Conches, *Dragmaticon (Dialogus de substantiis physicis . . .),* Strasbourg 1567 (réédition Minerva 1967).

——, *Philosophia,* ed. Migne Patr. Latina 172 col. 39-102 (et PL 90 col. 1127-78).

Haly: commentateur de Ptolemée, *cf.* Thorndike, *Latin Treatises* p. V.

Hermannus Contractus, *De utilitatibus astrolabii,* Migne PL 143 col. 389-412.

Honorius d'Autun, *vid. De imagine mundi.*

Hugues de Saint Victor, *vid. Summa sententiarum.*

Isidore, *Etym. = Etymologiae,* ed. Lindsay, Oxford 1911 (réimpr. 1957).

——, *Nat. = Traité de la nature,* ed. J. Fontaine, Bordeaux 1960.

——, *De summo bono,* Louvain 1486.

Jean Buridan, *Questiones super . . . de celo et mundo,* ed. E. M. Moody, Cambridge (Mass.) 1942.

Jean de Sacrobosco, *De spera = Tractatus de sphera,* ed. L. Thorndike dans *The Sphere of Sacrobosco . . .,* Chicago 1949, p. 76-117.

Liber sex principiorum, ed. L. Minio-Paluello dans Porphyrius, *Isagoge. Translatio Boethii . . .,* Bruges etc. 1966 (*Aristoteles Latinus* 1:6, 7).

Macrobe, *In Somn. Scip. = Commentarii in Somnium Scipionis,* ed. J. Willis, Teubner 1963.

Marbode, *Liber lapidum seu de gemmis,* ed. J. M. Riddle, dans «Sudhoff Archiv», Beiheft 20, Wiesbaden 1977.

Marius, *De elementis,* ed. R. C. Dales, Univ. of California Press 1976.

Martianus Capella, *De nuptiis Mercurii et Philologiae,* ed. A. Dick-J. Préaux, Teubner 1969.

Maurus de Salerno, *Twelfth-century 'Optimus physicus' with his commentary on the Prognostics of Hippocrates,* ed. M. H. Saffron dans «Transactions of the Am. Philos. Society», New Series 62,1, Philadelphia 1972.

Michael Scot, *Questiones super auctorem Spherae,* ed. L. Thorndike dans *The Sphere of Sacrobosco . . .,* Chicago 1949, p. 247-342.

——, *De secretis naturae,* dans Ps-Albert le Grand, *De secretis mulierum . . .,* Strasbourg 1637.

——, *vid.* Thorndike.

Pierre Lombard, *Sententiarum libri IV,* ed. Patres collegii s. Bonaventurae LII (1916).

Pierre de Maricourt (Petrus Peregrinus), *De magnete,* ed. G. Hellmann dans «Neudrucke von Schriften und Karten über Meteorologie und Erdmagnetismus» X *Rara magnetica*, Berlin 1898; *ed.* D. Speiser, *Le De magnete de Pierre de Maricourt*, dans «Revue d'hist. des sciences» XXVIII/3 (1975) p. 193-234.

Priscianus Lydus, *Solutiones*, ed. I. Bywater, Berlin 1886 (*Suppl. Arist.* I, 2).

Ps-Boèce, *De disciplina scolarium*, ed. O. Weijers, Leyde/Cologne 1976.

Ptolémée, *Optica*, ed. A. Lejeune, Louvain 1956.

——, *Quadripartitum* dans *Opera*, Bâle 1541.

Pseudo-Ptolémée, *Centiloquium* dans *Opera*, Bâle 1541.

Ps-Ptolémée Erfurt: *ed.* L. Baur dans *Die Philosophische Werke des Robert Grosseteste* dans «Beiträge zur Geschichte der Phil. des Mittelalters» IX (1912) p. 36-41.

Questiones Salernitane, vid. Lawn.

Raoul de Longchamps, *In Anticl.* = Radulphus de Longo Campo, *In Anticlaudianum Alani commentum*, ed. J. Sulowski, Wrocław/Warszawa . . . 1972.

Richard de Bury, *Philobiblon*, ed. A. Altamura, Naples 1954; *ed.* H. Cocheris, Paris 1856.

Robert l'Anglais, *Compilatio super materiam de spera celesti, ed.* L. Thorndike dans *The Sphere of Sacrobosco* . . . p. 143-198.

Secretum secretorum, ed. Steele dans Roger Bacon, *Opera* V (Oxford 1940) p. 25-175.

Summa sententiarum (Ps-Hugues de Saint Victor), *ed.* Migne PL 176 col. 41-174.

Theophilus, *De urinis*, Paris 1608.

Thomas de Cantimpré, *De natura rerum*, ed. H. Boese, Berlin/New York 1973.

Urso de Calabria, *Aphor.* = R. Creutz, *Die medisch-naturphilos. Aphorismen und Kommentare des Magisters Urso Salernitanus* dans «Quelle und Studien zur Geschichte der Naturwissensch. und der Medizin» V, 1 (Berlin 1936) p. 1-192.

——, *De coloribus*, ed. L. Thorndike, *Some medieval texts on colours*, dans «Ambix» VII (1959) p. 7-16.

——, *De urinis*, ed. P. Giacosa dans *Magistri Salernitani nondum editi*, Turin 1901, p. 283-9.

Witelo, *Perspectiva*, ed. Risner, *Vitellionis Optica*, 1535.

ÉTUDES MODERNES

Alverny, M.-Th. d', *Les Pérégrinations de l'âme* dans «Archives de l'hist. doctr. et litt. du m.â.» 13 (1942).

Boüard, M. de, *Une nouvelle encyclopédie médiévale: le Compendium philosophiae* (= *Compilatio de libris naturalibus*), Paris 1936 (publié des extraits d'après B. N. lat. 15879).

Copleston, F. C., *A History of Medieval Philosophy*, Londres 1972.

Denifle-Chatelain, *vid. Chartularium* . . .

De Wulf, M., *Histoire de la philosophie médiévale*, Louvain 1934-47².

Dronke, P., *Fabula* . . ., Leyde/Cologne 1974 (Mittelalt. Studien und Texte IX).

Duchateau, M., *De 'Studia Cratonis' in het Pseudo-Boetiaanse traktaat 'De disciplina scolarium'* dans «Tijdschrift voor Philosophie» 3 (1941) p. 329-37

Gabriel, A. L., *Garlandia*, The Medieval Institute, Univ. of Notre Dame 1969.

Grabmann, M., *I divieti ecclesiastici di Aristotele sotto Innocenzo III e Gregorio IX*, Roma 1941 (*Miscellanea Hist. Pontif.* V).

——, *Eine für Examinazwecke abgefasste Quästionensammlung der Pariser Artistenfakultät aus der ersten Hälfte des XIII. Jahrhunderts* dans *Mittelalterliches Geistesleben* II (Munich 1936) p. 183-99.

——, *Forschungen über die lat. Aristoteles-Übersetzungen des XIII. Jahrhunderts*, Münster in W. 1916.

——, *Methoden und Hilfsmittel des Aristoteles-Studiums im Mittelalter* dans «Sitzungsberichte der Bayerische Akad. der Wissensch.» 1939,5.

Honigmann, E., *Die sieben Klimata und die* πόλεις ἐπίσημοι. *Eine Untersuchung zur Geschichte der Geographie und Astrologie im Altertum und Mittelalter*, Heidelberg 1929.

Landgraf, A. M., *Zur Geschichte der Einführung des Arist. in den Mittelalt. Lehrbetrieb* dans «Theolog. Rev.» 42 (1943) p. 49-55.

Lawn, B., *The Prose Salernitan Questions*, Oxford 1979 (Auct. Brit. Medii Aevi V).

——, *I Quesiti Salernitani*, Salerno 1969² (seconde édition corrigée de *The Salernitan Questions* . . ., Oxford 1963).

Lejeune, A., *L'optique de Claude Ptolemée* . . ., Louvain 1956.

Lemay, R., *Abu Ma'shar and Latin Aristotelianism*, Beirut 1962.

Maurach, G., *Coelum Empyreum* . . ., Wiesbaden 1968.

Mittelalterliche Bibliothekskatalogen Deutschlands und der Schweiz, t. I et II, par P. Lehmann, t. III par Paul Ruf, t. IV par C.E. Ineicher-Eder, Munich 1937-77.

Pelzer, A., dans M. de Wulf. *Histoire de la Philosophie Médiévale* t. II (Louvain 1936⁶) p. 36-7 sur le *Compendium philosophiae*.

Porcher, J., *Craton le philosophe*, dans *Mélanges dédiés à Félix Grat*, Paris 1946.

Ps-Boèce = édition du *De disciplina scolarium* par O. Weijers, Leyde/Cologne 1976.

Sebastian, H. F., *William of Wheteley's* (*fl. 1309-1316*) *commentary on the Pseudo-Boethius' tractate 'De disciplina scolarium' and medieval grammar school education*, Univ. Microfilms, Ann Arbor, Michigan 1973 (diss. Columbia Univ. 1970).

Stegman, O., *Die Anschauungen des Mittelalters über endogenen Erscheinungen der Erde* dans «Archiv f.d. Geschichte der Naturwiss. und der Technik» IV (1912) p. 345-359; 409-424.

Thorndike, L., *Latin Treatises on Comets* . . ., Chicago 1950 (contient des textes de Giles de Lessines et de l'Anonymus de l'an 1238).

——, *Michael Scot*, Londres/Edinbourg 1965.

——, *The Sphere of Sacrobosco and its Commentators*, Chicago 1949 (contient les commentaires de Michael Scot et Robert l'Anglais).

——, *Uncatalogued Texts in Ms. All Souls College 81* . . . dans «Ambix» 7 (1959) p. 34-41.

Van Steenberghen, F., *Aristotle in the West*, Louvain 1970.

——, *La philosophie au XIIIᵉ s.*, Louvain/Paris 1966.

——, *The Philosophical Movement in the XIIIth cent.* (*Belfast Lectures*) Londres *etc.* 1955.

Vansteenkiste, C., *Theology in Craton's School* dans «Angelicum» (1969) p. 303-17.

Walther, H., *Initia carminum ac versuum medi aevii*, Göttingen 1959.

——, *Proverbia Sententiaeque Latinitatis Medii Aevi*, Göttingen 1963-7.

INTRODUCTION

I. L'OUVRAGE

L'identité de Craton

Le mystérieux auteur du *De disciplina scolarium* [1] a créé un personnage non moins énigmatique en la personne du maître qui propose à ses élèves trois séries de questions concernant la cosmographie, l'astrologie, la météorologie et l'histoire naturelle, inscrites sous forme de trois demi-cercles sur sa chaire. Le nom *Crato* aussi bien que la méthode de l'inscription sont peu communs.

Certes, le nom de Craton n'était pas totalement inconnu au moyen âge. Il y avait un saint Craton, rhéteur Athénien qui s'était converti au Christianisme [2], cité par exemple par Vincent de Beauvais, *Spec. Hist.* 10, 39. Il y avait un philosophe Craton qui aurait rencontré saint Jean à Patmos [3]. De plus, les deux arbitres qui devaient juger la discussion entre un chrétien et un juif dans la légende du pape Silvestre, s'appelaient Zenophilus et Craton [4].

D'autre part, le nom de Craton était fréquemment confondu avec celui de Cratès. Cratès de Thèbes a été appelé Craton à maintes reprises [5]. C'est ce que fait, très probablement, le ps-Boèce lui-même dans le dernier chapitre de son ouvrage (6, 33). Il semble ainsi justifié de rechercher le personnage qui a inspiré l'histoire de notre Craton non seulement parmi les Craton mais aussi parmi les Cratès connus [6].

Si l'on regarde un instant la méthode de l'enseignement par inscription, qui n'était pas inconnue de l'occident [7], bien que le plus souvent les inscriptions servissent plutôt à conserver la matière qu'à l'enseigner, on trouve un exemple frappant dans le *Livre de Cratès* (d'un auteur arabe du IXe s.) : Cratès devant Hermes Tris-

---

[1] Voir mon édition critique, Leyde 1976.

[2] *Cf.* AASS Febr. II; Porcher p. 319.

[3] *Cf.* Porcher p. 319.

[4] *Cf.* Jean de Garlande, *De triumphis ecclesie* IV, 235-6 (*ed.* Wright p. 75) et Jacques de Voragine, *Legenda aurea* XII, *ed.* Graesse (1890) p. 73.

[5] *Cf.* Ps-Boèce, App. I p. 167; Porcher p. 326. Les *Acta* de Leucius confondent leur Craton avec Cratès de Thèbes, *cf.* Porcher p. 319, n. 3.

[6] Rappelons que le passage entier fait partie d'un *exemplum* (du Fils de l'Inconstance) et que Craton est ou bien le produit de la fantaisie du Ps-Boèce ou bien un personnage vivant, un collègue par exemple, à qui il a donné un nom classique selon son habitude (*cf.* Ps-Boèce p. 138-9).

[7] *Cf.* Porcher p. 319-20, n. 4.

mégiste, assis dans une chaire, voit sept cercles entourés d'inscriptions. Ceci semble fournir les éléments essentiels pour l'histoire de
notre Craton malgré les différences (Cratès est le disciple et non
pas le maître; il s'agit d'un mage et non pas d'un professeur de
sciences naturelles).

Porcher, dans son article complexe sur l'identité de Craton [8] — à
ce jour la seule étude sur ce sujet—ne se contente pas de cette indication pourtant importante. A son avis, le Cratès du *Livre de
Cratès* a été confondu par le Ps-Boèce avec tous les autres Craton et
Cratès, et surtout aussi avec Eratosthène. Eratosthène était peu
connu du moyen âge latin, mais il est cité pour son calcul de la cir-
conférence terrestre par Martianus Capella, Pline, Vitruve [9]. Et dans
le manuscrit Paris, Mazarine 3642 il est confondu avec Craton. Ce
manuscrit est un recueil scientifique qui, d'après Porcher [10], a appartenu à un Anglais à la fin du XIIIe s. Celui-ci a écrit de sa main le
commentaire qui se trouve aux ff. 50r-54r et a ajouté quelques feuilles
volantes dont la feuille 81 au verso contient le fameux calcul d'Eratosthène. Ce passage a été copié du traité *De utilitatibus astrolabii*
d'Hermannus Contractus dont une copie se trouve dans le même manuscrit [11], mais au lieu d'*Eratosthenes* la note sur fo 81v dit *Craton*. Or,
dans le texte d'Hermannus Contractus au fo 63*sqq.* le nom d'Eratosthène a été gratté et remplacé par celui de Craton, sans doute
par le même Anglais [12]. Porcher en conclut que pour cet Anglais
Eratosthène et Craton sont un seul et même philosophe, qu'il doit
avoir trouvé l'identification ailleurs et que le Ps-Boèce, comme le
copiste anglais, doit avoir fait la même identification.

La solution semble bien plus simple. Le copiste anglais, ayant
écrit le commentaire sur les *Questions de Craton*, était donc au cou-
rant de l'existence d'un Craton dont l'enseignement concernait
notamment le zodiaque (question II, 1). En lisant le *De utilitatibus
astrolabii*, il trouvait le calcul d'Eratosthène qui mentionne les
partes zodiaci et du fait de la ressemblance des noms *Eratosthenes*
et *Craton* dans l'écriture abrégée du XIIIe s., il a identifié les deux

---

[8] Voir la bibliographie.
[9] *Cf.* Porcher p. 318 et note 2.
[10] p. 315-6.
[11] fo 55r-69v, *cf.* la description du ms. p. 42-4.
[12] Ceci n'est pas tout-à-fait exact: la forme originale du nom dans le
texte d'Hermannus Contractus était *Erastones*, comme il apparaît clairement
dans la marge inférieure de fo 63r, où, dans une note, cette forme a échappé
à la correction. La forme *Erastones* pouvait facilement être corrigée en Craton.

et changé la forme *Eratosthenes* [12a] (qu'il ne connaissait d'ailleurs pas) en Craton. Puis, il a copié le fameux calcul, avec quelques autres passages, sur f⁰ 81ᵛ en écrivant directement la forme Craton qu'il considérait comme correcte.

Dans cette explication assez simple des données du manuscrit on n'a pas besoin de la tradition orale selon laquelle l'occident aurait dû connaitre le fait qu'Eratosthène, lui aussi, a inscrit des leçons sur une stèle, et par laquelle le nom d'Eratosthène, prononcé en pays arabe, est devenu «pour des oreilles latines» Craton [13].

Il n'y a pas de raison de supposer que le Ps-Boèce ait pensé une seconde à Eratosthène. Il n'avait pas devant les yeux le manuscrit Mazarine 3642 qui a suggéré le rapprochement des deux personnages au copiste anglais. Et quant à la méthode de l'enseignement par inscription, il avait suffisamment d'exemples pour pouvoir se dispenser de celui d'Eratosthène qu'il ne pouvait trouver dans aucun texte.

Un autre élément de l'article de Porcher qui complique le raisonnement est l'*Histoire des Sept Sages* [14]. Dans une version occidentale, l'idée d'inscrire l'enseignement destiné au fils du roi sur les quatre murs d'une chambre venait d'un seul des sept philosophes, comme dans les versions orientales, mais au lieu de Sindibad, celui-ci s'appelait Craton. Dans d'autres versions latines on trouve Caton, au lieu de Craton, probablement substitué à lui à cause de sa plus grande renommée [15]. Il n'est pas impensable que ce Craton doive son existence au maître utilisant la méthode visuelle dans le *De disciplina scolarium*.

Pour tenter d'expliquer le fait que le Ps-Boèce a appelé son personnage Craton, on n'a besoin que de quelques éléments: il est vraisemblable qu'il a pensé au Cratès du *Livre de Cratès*, qui lui fournissait l'inscription en cercles et la chaire [16]. Il se peut qu'il l'ait confondu avec Cratès de Thèbes. Il a utilisé la forme Craton, comme il a remplacé Cratès par Craton en 6, 33. Il se peut qu'il ait été influencé sur ce point par le Craton de la légende du pape Silvestre [17]. De toute façon, le nom de Craton doit avoir éveillé en

---

[12a] Ou, pour être plus précise, *Erastones*, voir ci-dessus note 12.

[13] *Cf.* Porcher p. 317-9.

[14] Cf. Porcher p. 322-4.

[15] Le même changement se trouve dans un ms. du *De disc. scol.*: B. N. lat. 8731.

[16] Voir ci-dessus p. 3-4.

[17] Bien que je n'aie pas la moindre intention de proposer une nouvelle

lui des réminiscences d'enseignement par inscription et de philosophie, ce qui était justement ce dont il avait besoin.

Notre Craton, ce philosophe inventé, s'est fait un certain nom
aux siècles suivants. Richard de Bury le mentionne en même temps
que Platon: *daemonum tyrannides describuntur quos nec ideae Platonis
exsuperant nec Cratonis cathedra continebat* (*Philobiblon, ed.* Cocheris
p. 205, *ed.* Altamura (1954) I, 32 p. 78). L'*exemplum* entier du
Fils de l'Inconstance est évoqué par le même auteur [18].

Plus intéressant est le témoignage de Jacobus Tymanni de Amersfordia, philosophe néerlandais du XVe s., qui cite Craton sur le phénomène du tremblement de terre dans *Aristotelis Meteororum secundum processum Albertistarum*, Cologne 1497, fo 58VB12-3 *sicut
dicit Crathon philosophus in libro de terremotu*; fo 58VB18 *cuius
causam dicit Crathon quia . . .*; fo 58VB44-5 *Crathon autem philosophus in phisicis et morabilibus multis excellentior ponit . . .* Les
théories sur le tremblement de terre attribuées à Craton correspondent à celles d'Aristote et d'Albert le Grand que l'on trouve sous
III,1a, sauf la dernière qui veut que la chaleur et le froid en se
fuyant l'un l'autre provoquent par leurs collisions les tremblements
de terre. Ceci ne se retrouve pas dans notre commentaire, ni dans
les autres commentaires que nous connaissons [19]. Jacques d'Amersfoort doit avoir connu un autre commentaire sur les *Questions de Craton* ou peut-être même un traité sur le phénomène du tremblement
de terre (*liber de terremotu*) attribué au philosophe Craton. Il est
possible qu'en lisant un commentaire sur les *Questions* un érudit
médiéval ait fait le rapprochement avec un traité de ce genre ou en
ait peut-être même écrit un, en attribuant l'honneur à Craton.

---

hypothèse concernant l'identité du Ps-Boèce, on peut noter quelques rapports entre celui-ci et Jean de Garlande: 1. le nom de Craton est utilisé par
tous les deux. — 2. dans le *Morale scolarium* on trouve quelques vers (266-70)
qui contiennent des questions sur l'histoire naturelle qui font penser aux
Questions de Craton. — Jean de Garlande a l'habitude d'illustrer ses idées
avec des vers souvent de lui; c'est ce que fait le Ps-Boèce dans 3, 9 et 3, 10.
— 4. Si le Ps-Boèce a en effet écrit le commentaire original lui-même (voir
p. 10), cela constituerait un autre rapport avec Jean de Garlande, qui a
commenté son *Dictionnarius* lui-même (*cf.* Paetow dans son introduction
à l'édition du *Morale Scol.* p. 131 et note 8).

[18] *Philoboblin, ed.* Cocheris (1856) p. 257; *ed.* Altamura (1954) XIII, 31
p. 78).

[19] Voir ci-dessous p. 27 *sqq.*

L'origine du commentaire

Le «*commentator*»

Dans les manuscrits de notre commentaire, ceux qui le présentent sous une forme indépendante (M¹, M, L) aussi bien que ceux où il se trouve dans les marges autour du texte du *De disciplina scolarium*, le texte se réfère en plusieurs endroits à l'autorité d'un *commentator*. Ce n'est d'ailleurs pas le monopole des manuscrits du commentaire étudié. On trouve le *commentator* dans d'autres manuscrits contenant d'autres commentaires, par exemple le commentaire d'Engelkinus [20].

Le fait que cette référence se retrouve dans les gloses sur d'autres parties du *De disc. scol.*, prouve que ce *commentator* a commenté l'ensemble du texte et non seulement les *Questions de Craton*.

Pour éviter des malentendus, une note sur l'usage du mot *commentator* ne semble pas déplacée. On sait que dans la philosophie médiévale le terme est fréquemment utilisé pour désigner Averroès, en tant que commentateur par excellence d'Aristote, surtout sur le terrain de la métaphysique. Dans d'autres domaines de la pensée on a d'autres commentateurs dont l'autorité est si grande que ce seul terme suffit à les désigner. Ainsi, dans l'éthique, le mot *commentator* s'applique à Robert de Lincoln [21]. Dans le cas des commentaires sur le *De disciplina scolarium*, les expressions *commentator dicit quod* ou *secundum commentatorem* signifient sans aucun doute une référence à un commentaire ancien et de grande autorité.

Le temps d'origine

Il est regrettable que ce commentaire qui faisait autorité et auquel se réfèrent nos manuscrits qui en contiennent sans doute une forme abrégée, soit perdu. On ne peut en être surpris. De même que l'autographe du *De disc. scol.*, nombre de copies ont disparu, probablement par suite d'une utilisation intensive et à cause de la vaste diffusion de ce texte [22]: ainsi un commentaire sur ce texte avait plus de chances de servir et de passer de main en main que d'être soigneusement conservé.

L'absence de manuscrits est d'autant plus regrettable que ce com-

---

[20] Voir ci-dessous p. 29 et l'Appendice.

[21] *Cf.* C. Vansteenkiste, *S. Tommaso d'Aquino e Averroè* dans «Rivista degli Studi orientali» 32 (1957) 588-9.

[22] *Cf.* Ps-Boèce p. 36.

mentaire doit avoir été écrit peu de temps après l'apparition du *De disc. scol.* Un *terminus ante quem* très sûr nous est fourni par Roger Bacon dans sa Métaphysique d'environ 1266 où il cite un passage [23]. Un autre *terminus ante quem*, plus vague mais peut-être légèrement antérieur, est la date de la première composition de notre commentaire, car là aussi, comme on l'a déjà vu, le *commentator* est cité. Les plus vieux manuscrits dans lesquels notre commentaire se trouve, sont T et L[2] que j'ai datés dans l'édition du Ps-Boèce vers 1250 [24]. Etant donné le fait que le commentaire dans T fait mention des théories d'Albert le Grand que l'on trouve dans le commentaire de celui-ci sur les *Météores* [25], il faut modifier un peu cette datation. La chronologie des oeuvres d'Albert le Grand est peu certaine, mais l'on suppose qu'il a commencé à écrire ses commentaires sur Aristote après 1248 et probablement dans les années 1254-1270 [26]. Ainsi, on ne peut éviter d'accepter la date de 1260-70 pour le manuscrit T. Il reste que L[2] dans lequel les passages se référant à Albert le Grand ne figurent pas, mais dans lequel le *commentator* est mentionné comme dans les autres manuscrits de notre commentaire, peut être daté en effet un peu plus tôt. Il paraît raisonnable de supposer que la première version de notre commentaire se situe vers 1260. Dans ce cas, le commentaire original du *commentator* doit avoir été écrit entre 1230-40 (temps d'origine du *De disc. scol.* [27]) et 1260.

---

[23] *ed.* Steele I, 9; *cf.* Sebastian, ch. 4 p. 75 et note 9. Voici le texte de Roger Bacon: *Et super illud verbum Boecii De disciplina scolarium 'Platonis probata deitas' legitur in commentario: Inventum esse in tumba Platonis super eius pectus laaminam auream in qua scriptum fuit 'Credo in Christum nasciturum de virgine, passurum pro humano genere et tercia die resurrecturum'.*

[24] *Cf.* Ps-Boèce p.61 et 46.

[25] Voir *ad* III, 1a (3) et III, 1b (2).

[26] *Cf.* F. van Steenberghen, *La philosophie au XIIIe s.*, Louvain/Paris 1966, p. 273.

[27] *Cf.* Ps-Boèce p. 10-11. Le *terminus ante quem* du *De disc. scol.* est encore confirmé par une glose du ms. Bern 276 (f° 94ᵛ) dont l'auteur, considéré comme vivant au milieu du XIIIe s., affirme qu'il a vu un ms. du *De disc. scol.* à l'église de St-Benoît de Fleury (*cf.* M. D. Reeve et R. H. Rouse, *New Light on the Transmission of Donatus's Commentum Terentii* dans «Viator» 9 (1978) p. 238; R. H. Rouse, *Florilegia and Latin Classical Authors in the XII. and XIII. cent. Orléans* dans «Viator» 10 (1979) p. 145). Cette glose commence par: *Helenus auctor Grecorum secundum Cassiodorum in quinto variarum formarum. Iste fuit grammaticus de quo loquitur Boecius in libro de scolastica disciplina.* Cassiodore (*Var.* 8, 12) parle de *Helenus auctor Grecorum*, mais le lien avec le *De disc. scol.* est obscur. Aucun personnage du Ps-Boèce ne porte ce nom. Etant donné que le passage de Cassiodore concerne

Les lieu d'origine et auteur(s) de notre commentaire

Si l'on accepte notre hypothèse concernant la raison d'être de notre commentaire (expliquée ci-dessous p. 21 *sqq.*), cela nous conduit à accepter la Faculté des Arts à Paris comme lieu d'origine, du moins de la version originale. Car est évident qu'au cours des années des élements ont été ajoutés et il se peut évidemment que les parties qui ne se trouvent que dans les manuscrits anglais L² et G¹ aient été écrites en Angleterre. Cette hypothèse est d'autant plus attrayante qu'on constate que notre commentaire s'est vite répandu, surtout en Angleterre. Parmi les neuf manuscrits du XIIIᵉ s., cinq sont probablement d'origine anglaise (TG¹ G² LL²). Le passage dont il s'agit dans M a été écrit, selon Porcher, par une main anglaise ²⁸. La même chose est vraie, selon Sebastian ²⁹, pour M¹. Restent B et P².

Cette popularité parmi les Anglais ne peut nous étonner. Le *De disc. scol.* dans sa totalité avait déjà rencontré une grande popularité en Angleterre. En plus, les Anglais s'intéressaient à ce genre de questions concernant les sciences et l'histoire naturelle. Pour en donner quelques exemples seulement: 18 des 25 manuscrits du corpus de l'*Experimentarius* sont anglais ³⁰; la transmission rapide de certaines sources des *Questiones Salernitanae* est prouvée par le manuscrit de la British Library, Cotton Galba E IV ³¹; le texte le plus ancien et le plus volumineux des *Questiones Salernitane* en prose a été copié par une main anglaise vers 1200 (ms. Oxford, Bodl. Auct. F 3, 10) ³²; beaucoup de manuscrits contenant les oeuvres de Guillaume de Conches sont anglais. Bref, les sciences jouissaient d'un grand intérêt parmi les Anglais et, comme il est naturel, les *Questions de Craton* et leurs réponses en avaient leur part.

Il semble plus contestable d'admettre que le commentaire, comme nous le retrouvons dans les neuf manuscrits mentionnés ci-dessous, soit l'oeuvre d'un seul auteur. Le degré de contamination, les différences considérables et inconstantes entre les manuscrits, les addi-

---

l'apprentissage et l'écriture des lettres de l'alphabet dont parle le Ps-Boèce dans 1,5, on se demande si le ms. de Fleury avait la variante *Heleno* pour *Servio* (Ps-Boèce p. 95, 10).

²⁸ Voir la description du ms., p. 43.

²⁹ p. 74.

³⁰ *Cf.* Ch. S. F. Burnett, *What is the Experimentarius of Bernardus Silvestris?* dans «Archives d'hist. doctr. et litt. du m.â.» XLIV (1977) p. 79-125.

³¹ *Cf.* Marius, *On the Elements*, ed. R. C. Dales (1976) p. 9-10.

³² *Cf.* B. Lawn *The Prose Salernitan Questions* p. VII.

tions fournies parfois par un de ces manuscrits, nous font croire que nous avons à faire à une famille de gloses, originaire des années 1260 environ et se développant au cours du dernier tiers du XIIIe s. A la rigueur, on pourrait parler d'un nombre d'auteurs — dont l'un doit avoir été le premier, bien sûr — qui se réfèrent à un commentaire original[33] et qui se copient, tout en supprimant ou en ajoutant. Néanmoins, plutôt que de parler de neuf commentaires très semblables, il y a lieu de considérer les neuf manuscrits comme étant des représentants plus ou moins développés, modifiés et enrichis d'une seule lignée de commentaires, dont il est inutile de rechercher un seul auteur.

Hypothèses sur l'identité du «commentator» et sur le sort de son commentaire

Sebastian[34] appelle l'ouvrage perdu du *commentator* l'«original commentary» dont on retrouve des extraits dans nombre de manuscrits dont les nôtres[35]. Il avance l'hypothèse que le commentator est peut-être l'auteur du *De disc.scol.* lui-même, qui a voulu donner des explications sur son texte énigmatique. Il suppose ensuite qu'un autre a réduit ce commentaire en une forme plus modeste, le «common gloss», en éliminant les passages contenant des explications littérales et des paraphrases. Les manuscrits que nous connaissons auraient copié ce «common gloss», dont l'intention aurait été de fournir «a handy class-room edition»[36].

La question de savoir si l'auteur du *De disc. scol.* est aussi l'auteur du commentaire original est difficile à trancher, comme le dit Sebastian lui-même. D'une part, on a des difficultés à croire qu'un auteur intelligent et spirituel comme le Ps-Boèce, ayant commis la plaisanterie, de façon scrupuleuse, de présenter son ouvrage comme celui de Boèce, éprouverait le besoin d'écrire de surcroît un commentaire détaillé. Il se peut qu'un esprit plus naif et admirateur du grand Boèce se soit vite acquitté de la tâche rémunératrice de

---

[33] Voir ci-dessus p. 7 et ci-dessous.

[34] Voir la bibliographie.

[35] D'autres mss. appartenant à ce groupe et mentionnés par lui sont Cambridge Univ. Library Hh I 5 (XIVe s.); Londres, British Library Royal 15 a XXI (une page seulement); Douai, Bibl. Munic. 438 (fin XIIIe s., mais il n'y a que peu de gloses et presque rien sur les *Questions*); Paris, B. N. lat. 18424 (XIVe s.); Zeitz, Domherrenbibl. LXXI (XVe s.). Et *cf.* ci-dessus p. 7.

[36] *Cf.* Sebastian ch. IV p. 77.

faire connaître, tout en l'expliquant, un nouveau texte de ce maître. D'autre part, il y a un parallèle dans le *Dictionnarius* de Jean de Garlande — auteur qui permet de faire plusieurs rapprochements avec le Ps-Boèce [37] — dont les gloses françaises accompagnant le texte ont été écrites par l'auteur lui-même [38]. Cependant, le fait que ces gloses sont rédigées en français, constitue évidemment une nette différence entre les deux cas.

Le stade intermédiaire du «common gloss» que propose Sebastian, ne me semble pas indispensable. Dès le moment où il y avait un commentaire sur le *De disc. scol.*, un ou plusieurs érudits, maîtres ou étudiants, peuvent l'avoir utilisé en récoltant des résultats plus ou moins identiques. D'autres peuvent avoir utilisé à leur tour les manuscrits contenant une forme abrégée du commentaire original, établis par le premier groupe d'utilisateurs. Quelqu'un doit avoir été le premier à copier les passages essentiels du commentaire complet, mais il n'est pas nécessairement à l'origine de tous les autres. La contamination illimitée des manuscrits contenant le commentaire étudié constitue peut-être un indice de la possibilité que les copistes de nos manuscrits aient utilisé non seulement un exemplaire de la forme abrégée, mais en plus le commentaire original dont ils relevaient parfois d'autres passages considérés comme plus corrects ou plus intéressants.

De toute manière, la forme complète du commentaire original ne m'est pas connu, car tous nos manuscrits parlent du *commentator*. Et il est évident que ce sont les passages d'explication verbale qui ont été éliminés le plus vite. Un nombre de manuscrits nous donne une indication intéressante sur ce point: *Quare autem appellat* (sc. commentator) *hic eventum prodicionem ex utero patet per exposicionem litere* [39]. Le commentaire original a probablement été un commentaire continu dans lequel les *Questions de Craton* étaient traitées de façon détaillée et sous la forme complète de la *questio* [40].

L'accessus de B.N. lat. 17810

Dans le ms. B.N. lat.17810 de la deuxième moitié du XIIIe s., et, d'après Sebastian, aussi dans le ms. Cheltenham, Phillipps 16230[41],

---

[37] *Cf.* ci-dessus note 17.
[38] *Cf.* ci-dessus note 17.
[39] Voir II,4(7).
[40] *Cf.* Sebastian p. 77-9 et note 38.
[41] *Cf.* Sebastian p. 80 n. 4. Le ms. est en possession du Robinson Trust.

se trouve un *accessus* plus intéressant que les autres, parce qu'il essaie d'expliquer la naissance et l'histoire du *De disc. scol.* Bède aurait trouvé ce texte à Rome parmi d'autres ouvrages de Boèce et l'aurait emporté. Le texte avait été recommandé par l'empereur Justinien et lu dans toutes les écoles, mais il avait souffert de la trop grande intensité de *perscrutatio* de détails et il était condamné à pourrir par ignorance, à être brûlé par jalousie et à être mangé des lépismes par négligence, ce triste sort de certains livres que l'on trouve rarement. Bède l'a donc sauvé de l'oubli.

Sebastian suppose que cet *accessus*, qui s'appelle *prologus* dans les manuscrits, a fait partie du commentaire original et est avec le «common gloss» ce qui nous en reste. Dans ce cas, il ne serait pas impossible que l'auteur en ait été le Ps-Boèce lui-même [42]. Sebastian établit ce rapport entre l'*accessus* et le commentaire à cause de la ressemblance entre la dernière phrase de l'*accessus* et une glose introductive du commentaire qui se trouve dans plusieurs manuscrits. Il s'agit de quatre éléments du *proemium* du Ps-Boèce, à savoir: *captat benivolenciam ... vitat arroganciam ... suscitat attentos ... preparat docilitatem*, mentionnés dans l'*accessus* et que l'on retrouve sous une forme condensée, dans certains manuscrits, dans une glose en tête du commentaire [43]. Outre le fait que trois de ces éléments sont des ingrédients ordinaires d'un prologue et que le quatrième, inséré en deuxième lieu sur la base du *proemium*, en est également un lieu commun, de sorte que l'on peut même s'imaginer que l'auteur de l'*accessus* ait écrit sa phrase indépendamment du commentaire, il n'est que naturel de penser que ce premier s'est simplement servi de ce commentaire ou de la glose introductive qui en était un reste.

Il n'y a, à mes yeux, aucune raison de supposer que l'*accessus* a été le prologue du commentaire original et que l'un et l'autre ont été écrits par le même auteur. En plus, si cela était le cas, on comprend mal pourquoi tous ceux qui copiaient des extraits du commentaire n'ont pas copié en même temps son prologue cependant si intéressant. L'*accessus* se trouve justement dans deux manuscrits qui ne contiennent pas de gloses [44]. Il semble plus vraisemblable que le *prologus* a été ajouté au texte lui-même du *De disc. scol.* par

---

Le texte de cet *accessus* a été imprimé, d'après B.N. lat. 17810 fᵒ 181ʳᵇ²¹⁻181ᵛᵇ, dans mon édition du *De disc. scol.* p. 171-80.

[42] *Cf.* ci-dessus p. 10.
[43] *Cf.* Sebastian p. 75 et note 13.
[44] *Cf.* Sebastian p. 80 n. 4.

un utilisateur qui a voulu expliquer, de façon fantaisiste, l'origine et l'histoire de ce texte. D'autres *accessus* ont été écrits dans des buts semblables [45].

Matière du commentaire et ses sources

Dans ce chapitre nous n'entendons pas remplacer les indications des sources et écrits parallèles qui accompagnent le texte, mais il va de soi que nous nous appuierons largement sur ces données. On trouvera donc ici une discussion du contenu du commentaire, quelques remarques d'abord sur la matière des réponses à chaque question, quelques conclusions ensuite sur la valeur du commentaire et les différences que présentent sur ce point les manuscrits.

Les réponses

ad I, 1. La première partie de la réponse **2** donnée par les mss. L²G¹M et T, fait penser à la formule technique de la *questio*; elle en est peut-être un reste, puisé au «commentaire original» (*dicit commentator*) qui semble en effet avoir présenté, dans sa forme complète, des discussions selon cette méthode [46].

La seconde partie fournit la réponse théologique: l'incarnation de Dieu par son Fils.

Les réponses **3** et **4** qui traitent du nombre des cieux, entrent plus ou moins dans la longue tradition relative à ce sujet qui contient évidemment nombre de variantes. Il est intéressant de noter que la tripartition comme on la trouve dans **4** (*empirium . . . celum cristallinum . . . firmamentum*) correspond aux trois cieux qu'admet «magister Asaph» au-dessus de l'air et du feu [47], d'autant plus que cet auteur était juif et que la question I, 3 qui traite justement le sujet du nombre des cieux, parle de *Iudaice trine divisioni polorum*. Les réponses **3** et **4** sont en fait des réponses à la question I, 3 mais elles font ici fonction de gloses sur le mot *empireus* (*-um*). L'intérêt de la réponse **4** est dans la liaison des trois hiérarchies des anges avec les trois cieux. En fait, ce passage combine la matière des questions I, 2 et I, 3.

ad I, 2. La réponse **2** présentée, par les mss. MLL²G¹, donne deux opinions: celle de la réponse **1** et celle, différente, d'une tradi-

---

[45] *Cf.* Ps-Boèce, App. 3 p. 170-1.
[46] *Cf* ci-dessus p. 11.
[47] Voir ci-dessous p. 57.

tion qui veut que les anges assument un corps pour s'acquitter de leurs missions. Dans **3** les manuscrits se réunissent pour décrire les hiérarchies. Les appellations d'ensemble des trois groupes de trois ordres chacun ne se trouvent que dans les mss. LL² et, assez curieusement, P², pour les deux premiers, M¹ pour le dernier. J'y vois une preuve que la répartition constante des manuscrits est inexistante.

La façon dont les anges sont répartis ici contient un trait curieux, à savoir l'inversion des deux premiers ordres, les chérubins étant mentionnés les premiers, à la place des séraphins. Ce phénomène se retrouve dans le traité sur les *Pérégrinations de l'âme* et semble être dû à des influences orientales [48].

ad I, 3.   On trouve aussi deux passages sur le nombre des cieux parmi les réponses à la question I, 1, où ils sont insérés pour expliquer le mot *empireus(-um)*.

La réponse **1** qui traite de l'unique ciel qu'affirme Aristote montre des ressemblances avec le passage de Barthélemy l'Anglais sur ce sujet. A noter que le mot *Iudaice* de la question a été remplacé par *secundum . . . theologos* dans la réponse. Nous avons vu que la réponse **4** à la question I, 1 correspondait à la théorie de «magister Asaph» qui était juif [49]. Mais ici (**2**), les trois cieux ne sont pas entièrement les mêmes, le *celum cristallinum* ayant été remplacé par le *celum aereum*. Les citations du Vulgat rapprochent le passage **2** plutôt du passage **3** de la question I, 1 bien que là soient énumérés quatre cieux.

Une particularité que l'on retrouve chez le «magister Asaph» déjà mentionné, se trouve dans le fait que Dieu figure avec les anges au *celum empyreum*, tandis que normalement ce ciel est réservé aux anges, Dieu étant l'habitant d'un ciel à lui. Ainsi, on peut se demander si le commentaire sur les trois premières questions n'a pas été influencé par la tradition juive.

ad I, 4.   Comme il en est pour la réponse **2** de la question I, 1, la réponse **2** de la présente question semble être un restant d'un commentaire qui utilisait la forme technique de la *questio*, peut-être le «commentaire original» [50]. Elle est d'ailleurs présentée par à peu près les mêmes manuscrits (L²LG¹TM). D'autre part, la réponse **3** est plus traditionnelle. A noter que les mss. T et M ont

---

[48] Voir ci-dessous p. 61.
[49] Voir ci-dessus p. 13 et ci-dessous p. 57.
[50] *Cf.* ci-dessus p. 11 et p. 13.

les deux réponses à la fois. Les trois cieux mentionnés en **3** correspondent à ceux de la réponse I, 1, **4**.

Comparée à la réponse de la première subdivision (**1-3**), celle (**4**) qui traite du mouvement des parties du ciel est mièvre. En fait, elle ne contient qu'une explication de la différence entre les mouvements linéaire et circulaire. Le dernier ayant le centre immobile, explique le cas du ciel. Une discussion plus approfondie du problème se trouve notamment chez Averroes, *De caelo et mundo*.

ad I, 5. La réponse **2** vient entièrement du *De imagine mundi* et est en vérité une répétition de la dernière phrase de la réponse **1**. Il est à noter que les mss. LL²G¹ qui puisent souvent dans des sources moins élémentaires, sont justement ici, avec T et M, les représentants de cette réponse **2**. Les mss. T et M se joignent à M¹BP² pour la réponse **3** qui apporte une précision au sujet de la *rarefactio*, mentionnée comme cause en **1**, et contient ensuite une référence à Aristote.

ad I, 6. La réponse **1**, qui est celle du *commentator*, cherche la solution dans la différence entre les qualités permanentes et accidentelles. C'est ce que fait Marius [51], mais celui-ci raconte que les autres éléments, la terre, l'eau et l'air, peuvent accueillir des qualités accidentelles, alors que le feu ne le peut pas. Ceci est une réponse correcte à la question, tandis que le *commentator* maintient une théorie contraire. Les réponses **2** et **3** d'autre part, s'accordent avec la théorie que le feu ne peut pas devenir froid.

ad I, 7. Les réponses présentées ici sont classiques. Notons cependant que le ms. M, qui est de mauvaise qualité, apporte parfois un élément qui manque dans tous les autres manuscrits (la réponse **2**).

ad II, 1. Dans presque tous les manuscrits la réponse à cette question est extrêmement brève, sans doute parce que cette dernière est assez obscure. La phrase du Ps-Boèce : *quarum* (*mapparum circuli secundi*) *prima zodiaci latitudinem ...* (*detinebat*) ne fait comprendre que le fait qu'il s'agit des différents cercles célestes et n'inspire guère l'interprétation **2**, trouvée dans presque tous les manuscrits. Aussi n'est-il pas étonnant que pour le reste nous ne trouvons que quelques gloses hors du contexte expliquant les mots *zodiacus* et *colurus*. Les gloses, comme on les trouve dans M (**3** et **4**),

---

[51] *Cf.* ci-dessous p. 71.

ont été copiées du traité populaire *De sphera* de Jean de Sacrobosco, auteur qui se trouvait à Paris dans les années 1230-1240.

ad II, 2. Cette question, pour simple qu'elle nous paraît aujour-d'hui, donnait lieu à des oppositions d'opinion au moyen âge. La réponse **2** correspond à la théorie de Martianus Capella, mentionné d'ailleurs dans certains de nos manuscrits. D'autre part, la théorie que le mouvement des planètes est contraire à celui du firmament et en retarde ainsi la rotation, est généralement connue et accep-tée [52]. Ici encore, notre commentaire ne fait que suivre la vieille tradition sur le sujet.

ad II, 3. Contrairement aux deux questions précédentes, celle-ci est amplement traitée. Les principales autorités qui ont fourni les réponses sont Aristote et Ptolémée. Cependant, les réponses **3** et **4** semblent se référer aussi à d'autres sources.

Les différentes couleurs que prennent les comètes pour annoncer des choses différentes (**3**) sont un sujet que l'on retrouve dans les traités sur les comètes, comme le traité anonyme de 1238 édité par Thorndike [53]. La réponse **4** est celle d'Aristote. Sous **5** se trouve un passage présenté par M seul, qui traite surtout de la significations des comètes d'après Ptolémée.

La théorie que Dieu crée les comètes pour l'annonce d'une nou-velle, semble être originaire de Jean Damascène.

Le nombre de 33 comètes est énigmatique. Celui de neuf comètes était considéré au moyen âge comme la théorie de Ptolémée et diffusée comme telle. Leurs noms se retrouvent, avec des variantes, dans les traités sur les comètes. Si l'on ajoute à ces neuf comètes les 23 dont Ptolémée affirmait en outre l'existence selon son com-mentateur Haly, on arrive à 32 comètes, ce qui n'explique pas en-core le *ad minus triginta tres* du début de ce passage (**8**).

A noter que cette réponse intéressante contenant les noms des 9 comètes se trouve dans des manuscrits qui, en général, ne con-tiennent que les réponses simples et traditionnelles. D'autre part, la contribution d'Aristote vient des manuscrits MLL² et G¹, comme c'est souvent le cas, et M est particulièrement intéressant pour cette question parce qu'il transmet l'héritage de Ptolémée.

En général, on peut dire que le commentaire sur cette question s'appuie sur une litterature adéquate et est de bon niveau.

---

[52] *Cf.* ci-dessous p. 89 (*ad* 6-7).
[53] Dans *Latin Treatises on Comets*.

ad II, 4. Cette question, qui comporte en fait trois questions différentes, bénéficie, elle aussi, d'un long commentaire. La réponse à la première des trois questions, fondamentale celle-ci, est évidente : les spécialistes de la médecine défendent l'influence de la nature des parents sur celle de l'enfant, tandis que les philosophes, astrologues sans doute, maintiennent la théorie de l'influence des planètes. Même pour les premiers l'influence des planètes n'est pas totalement absente, mais il s'agit de contingence et n'affecte pas la complexion héritée des parents.

Après cette exposition (**2-4**) qui se trouve à peu près dans tous les manuscrits, on passe à la première question speciale (**5-8**) : l'influence des planètes s'exerce-t-elle au moment de la conception ou de la naissance ? Question intéressante mais qui ne reçoit guère de réponse du fait d'une condamnation par les théologues.

D'autre part, les mss. L²LG¹ et M donnent une belle argumentation pour prouver l'influence des planètes, à savoir la théorie des climats (**9**). Chaque climat est influencé par une planète qui donne ainsi aux habitants un caractère correspondant à sa nature. La théorie des climats est très répandue. L'attribution d'une influence planétaire à chacun des sept climats se trouve notamment chez Abu Ma'shar et Alcabitius. L'influence des planètes sur le caractère des peuples est un sujet déjà traité par Firmicus Maternus. On ne connaît cependant pas la source qui établit l'amalgame des deux thèmes, comme le fait notre commentaire.

L'autre question spéciale qui traite de la ressemblance de l'enfant aux parents, a été souvent discutée, elle aussi. Elle est traitée par Galien, Aristote, figure parmi les *Quaestiones Salernitanae*, chez Michael Scot, chez Giles de Rome, etc.

ad II, 5. Le commentaire sur la matière de cette question n'est pas intéressant, car pour la plus grande partie il vient littéralement du *De imagine mundi*. A noter cependant que les manuscrits autres que G¹LL²M ne contiennent que le passage **1**, à savoir un renvoi à Martianus Capella.

ad II, 6. Le commentaire aurait pu s'en tenir à la réponse **2**, comme c'est le cas dans quelques manuscrits. La digression sur la nature de Saturne n'ajoute rien d'essentiel.

La citation sous le nom d'Ovide est assez mystérieuse. Je n'ai pas pu la retrouver [54].

---

[54] La littérature pseudo-ovidienne est abondante. Bien que j'en aie vu

ad II, 7. Quoique le sujet soit bien connu, il reste curieux que dans la question le *chorus* (*caurus*) ait été substitué à l'*auster*, ce qui a été corrigé dans le commentaire. On doit supposer que l'auteur du *De disc. scol.* qui a donné aux questions une forme souvent obscure, ait remplacé le mot *auster* par un nom moins connu sans savoir lui-même à quel vent ce nom correspondait au juste.

ad II, 8. La deuxième interprétation de cette question semble plus correcte que la première. Elle est aussi plus difficile et le seul renvoi à Aristote que donnent la plupart des manuscrits semble insuffisant.

ad II, 9. Tandis que la plus grande partie du commentaire sur cette question (**2-4**) est traditionnelle et peut être trouvée dans les encyclopédies du moyen âge, le passage **5** au contraire, qui se trouve dans des manuscrits généralement peu remarquables (M¹BTG²) et dans L et M, est plus intéressante.

ad III, 1 **a**. Il est remarquable que pour les questions qui concernent la météorologie, les sources utilisées sont plus modernes que par exemple celles employées pour les problèmes d'astrologie. La *Météorologie* d'Aristote et le commentaire d'Albert le Grand étaient sans doute ce qu'il y avait de plus récent sur le sujet.

Curieusement, le ms. P², en général très médiocre, présente ici une théorie qui n'est pas mentionnée dans les autres manuscrits (**4**).

ad III, 1 **b**. Ici aussi, ce sont surtout Aristote et Albert le Grand qui sont à l'origine du commentaire, mais la source plus traditionnelle du *De imagine mundi* est citée par L²G¹M (**1**). Elle est suivie d'une longue explication d'un phénomène très connu, à savoir que la vue est plus rapide que le son.

La plus grande partie de la réponse **3** vient littéralement d'Albert le Grand, mais la réponse **4** est intéressante d'abord parce qu'elle se trouve uniquement dans le ms. G², en général très médiocre, et ensuite parce qu'elle est peut-être basée sur Albert le Grand, mais ne le cite pas littéralement. Elle dépasse d'ailleurs la matière de cette question en traitant non seulement la foudre mais aussi d'autres *impressiones aeris* (à partir de la ligne 90: *ignis perpendicularis, candela, assub, ignis longus minutus*) causées par la montée de la va-

---

une grande partie et malgré le fait que j'ai pu disposer d'un recueil composé par A. Vernet, de Pseudo-Ovidiana partiellement inédits, la citation est restée introuvable.

peur sèche, pour donner ensuite un aperçu des différentes formes que la vapeur humide peut prendre (ligne 105 *sqq.*): pluie, grêle, rosée, neige des sujets qui seront traitées sous les questions III, 3 et 6. La réponse **4**, donnée d'ailleurs par les mêmes manuscrits que **2**, reproduit Sénèque sur les effets de la foudre.

ad III, 1 **c**. Ici aussi, les manuscrits TLM¹B utilisent une source récente et de qualité: le traité de Robert Grosseteste sur la marée. Ils en citent de longs passages.

Par deux fois une théorie est attribuée à Aristote que l'on ne trouve pas chez lui. La dernière (ligne 197) fait d'ailleurs partie du texte de Robert Grosseteste.

La réponse **3**, présentée par les mss. L²G¹ fait penser à la forme technique de la *questio*, comme c'était le cas pour I, 1 **2** et I, 4 **2** [55]. C'est une argumentation logique plutôt qu'un exposé scientifique.

ad III, 1 **d**. La même chose est vraie pour le commentaire à cette question présenté par L²G¹. Les autres manuscrits sont beaucoup plus bref sur ce point ne contenant que l'essentiel.

ad III, 2. Il s'agit d'un sujet beaucoup moins répandu qui figure néanmoins parmi les *Quaestiones Salernitanae*.

ad III, 3. Les autorités au sujet de la grêle et de la neige sont Sénèque et Bède d'une part, Aristote et Albert le Grand de l'autre. Ici encore, il y a un passage cité littéralement d'Albert (**a 2**). En ce qui concerne la troisième partie de cette question **c**, la réponse **2** vient du *De imagine mundi*, mais la première semble plus originale.

ad III, 4. La plupart des manuscrits n'a aucune réponse à cette question, tandis que celle des mss. L²G¹T est assez lapidaire, basée peut-être sur Albert le Grand. Le ms. P² ajoute une locution des théologues.

ad III, 5. Ici, c'est le ms. G² qui présente soudain tout seul une réponse intéressante, expliquant l'attraction de l'aimant par une *lux supracelestis*.

ad III, 6. La première partie (**a**) concernant la pluie est traditionnelle, la seconde (**b**) figure parmi les *Quaestiones Salernitanae* et notamment chez Guillaume de Conches qui, dans son *Dragmaticon*, mentionne deux théories différentes pour expliquer le phénomène.

---

[55] Voir ci-dessus p. 13 et p. 14.

ad III, 7 **a.** On peut se demander si les réponses **1** et **2** correspondent à l'intention de la question et s'il n'aurait pas mieux valu répondre avec Witelo (dans le prologue de son *Optique*[56]) : *Patet itaque ex premissis quod triplex est modus videndi. Quidam per unum medium tantum qui est visio directa. Quidam vero per reflectionem formarum visibilium a corporibus politis. Quidam vero per refractionem formarum visibilium propter diversitatem mediorum.*

ad III, 7 **b.** La longue réponse sur les couleurs ne se trouve que dans les mss. G¹L². La première partie est basée sur Aristote et Ptolémée, la seconde traite des couleurs de l'urine et de leur signification, en employant naturellement des textes de médecine.

Conclusions

Considérant l'ensemble des réponses, on constate que le commentaire est de qualité inégale. Parfois les questions ne reçoivent qu'une réponse traditionnelle, que l'on trouve dans n'importe quelle encyclopédie ou traité sur la nature disponible à l'époque. Parfois aussi, les réponses sont très intéressantes, fondées sur une littérature scientifique (Grosseteste, Albert le Grand) ou des sources difficilement identifiables. L'utilisation abondante du nouvel Aristote est évidente.

Il est possible que le commentaire original contenait les réponses traditionnelles et l'apport nouveau d'Aristote, tandis que certains passages plus circonstanciés ont été ajoutés par la suite. Ceci expliquerait aussi le curieux phénomène que parfois un seul des neuf manuscrits présente une réponse intéressante qui manque dans les autres manuscrits. Ce premier commentaire peut très bien avoir été rédigé dans les années 1240-60 dans le cadre de la Faculté des Arts de l'Université de Paris. L'évolution rapide des sciences dans les décades suivantes expliquerait les passages, ajoutés plus tard, de qualité plus développée. Malgré cela, le commentaire était destiné à être dépassé assez vite, d'où l'absence d'une tradition manuscrite au XIVᵉ s.

En ce qui concerne les manuscrits, ils ne se laissent pas classer en groupes selon la qualité des réponses. En effet, lorsqu'il s'agit du premier cycle de questions, ce sont souvent les mss. L²G¹M et parfois L et T qui ont une réponse plus intéressante que les autres, mais pour le troisième cycle ce sont M¹BT et L qui citent Albert le

---

[56] *ed.* Risner, *Vitellionis Optica*, 1535.

Grand et Grosseteste, tandis que L²G¹ et M citent le *De imagine mundi* et Bède.

Notons cependant que L² et G¹ contiennent les passages montrant une ressemblance avec la forme technique de la *questio*, parfois en compagnie de M et T.

Le manuscrit M, tout en étant un mauvais manuscrit avec beaucoup de fautes, est intéressant en ce qui concerne son contenu. Il présente parfois tout seul des passages différents de tous les autres. Mais cela arrive aussi à G² et L², tous deux étant des manuscrits très médiocres, qui ne font souvent que résumer la réponse en une phrase, éliminant le reste.

Une comparaison avec d'autres traités de ce genre pourrait évidemment contribuer à la détermination de la valeur de notre commentaire. Malheureusement, ce n'est pas facile à faire. Nombreux sont les recueils de questions et les traités sur un des aspects du savoir de l'univers, comme la météorologie ou l'astronomie. On y trouve parfois les mêmes questions que dans notre texte [57]. Cependant, ces recueils et traités ne relèvent jamais de l'ensemble des sciences et ne fournissent donc pas un instrument de comparaison satisfaisant. D'autre part, les encyclopédies, contenant l'ensemble des sujets et souvent dans le même ordre, sont un genre trop distinct pour être comparées profitablement avec notre commentaire. Lorsque nous disposerons d'une édition du fameux traité découvert par Grabmann dans le ms. Ripoll 109 [58], une comparaison pourrait s'avérer utile. Pour le moment nous pouvons conclure qu'au moins la structure de notre texte n'est pas dépourvue d'originalité.

But et raison d'être

Dans le *De disciplina scolarium*, les *Questions de Craton* font partie d'un *exemplum* qui raconte l'histoire du Fils de l'Inconstance, celui qui essaie tout mais ne réussit en rien. Dans une autre version de l'*exemplum*, à savoir dans les traductions françaises de la *Consolation de Philosophie*, le passage concernant l'enseignement de Craton a été remplacé par un passage où l'élève instable tente d'apprendre le droit. A. L. Gabriel, dans son article *The Source of*

---

[57] *Cf.* Thorndike, *Uncatalogued Texts* p. 36 sur ms. All Souls College 81 f⁰ 26ʳ-39ʳ où sept des treize questions concernant la *Météorologie* d'Aristote correspondent aux sujets du troisième cycle de notre commentaire.

[58] Grabmann, *Eine für Examinazwecke abgefasste Quästionensammlung*; *cf.* ci-dessous p. 24.

the Anecdote of the Inconstant Scholar [59], se pose la question de savoir pourquoi les traducteurs ont substitué le droit à l'histoire naturelle et où ils ont trouvé ce stage de juriste qui ne figurait pas dans leur source. Nous ne connaissons pas de version antérieure au *De disc. scol.*, ce qui nous a amené à supposer, dans notre édition de ce dernier texte, que le Ps-Boèce a été l'inventeur de l'*exemplum*. Il faut cependant considérer qu'avec le passage sur Craton l'*exemplum* forme un ensemble déséquilibré: le rapport sur l'enseignement de Craton est très long et élaboré, si on le compare aux autres phases de la carrière de l'écolier. En plus, les renseignements sur la matière de cet enseignement ne pouvaient contribuer à éclairer le sens de l'*exemplum*. On a plutôt l'impression que le Ps-Boèce a inséré les séries de questions dans l'histoire du Fils de l'Inconstance qui ou bien aurait déjà existé dans une version un peu differente, ou bien aurait été inventée pour accueillir justement les questions d'histoire naturelle.

La raison pour laquelle le Ps-Boèce aurait inséré les *Questions de Craton*, a été recherchée dans le cadre de l'interdiction d'Aristote à la Faculté des Arts à Paris [60]. En fait, c'est une hypothèse attrayante de supposer que les *Questions* représentent un résumé d'un cycle de cours très généraux sur les sciences, dont on pouvait se servir, à la Faculté des Arts à Paris, pour traiter ces sujets sans empiéter sur l'interdiction de commenter les textes du nouvel Aristote.

C'est un fait que le passage contenant les *Questions* a retenu une grande attention. Dans les manuscrits qui contiennent le *De disc. scol.* accompagné de gloses, celles-ci sont sensiblement plus longues pour le passage mentionné que pour le reste du *De disc. scol.* et elles prennent souvent la forme d'un commentaire écrit dans les marges [61]. Ceci indique l'intérêt porté par les lecteurs aux *Questions*, intérêt qui est aussi à l'origine du fait que le passage a été isolé pour faire l'objet de commentaires indépendants. Les manuscrits Londres Arundel 52, Paris Mazarine 3642 et Venise Marciana VIII, I, du XIIIe s., en sont des exemples [62], comme les deux manuscrits

---

[59] Dans *Garlandia* (The Medieval Institute, Univ. of Notre Dame 1969) p. 147-166.

[60] *Cf.* Sebastian p. 77; Lawn p. 109.

[61] Elles se poursuivent parfois sur plusieurs feuillets après la fin du passage. Voir la description des mss. p. 38 *sqq*.

[62] *Cf.* les descriptions de ces mss. p. 41-2, p. 42-4 et p. 44-5.

du commentaire d'Engelkinus, dont l'un, Bâle O.IV.35, semble dater de 1250 environ [63].

Il est vrai aussi que dans notre commentaire Aristote est cité de façon explicite 22 fois, ce qui est presqu'égal à l'ensemble de toutes les autres citations [64].

Pour pouvoir juger de la valeur de l'hyphothèse avancée, il est indispensable d'examiner l'état de la question de l'interdiction d'Aristote à Paris.

Depuis l'ouvrage fondamental de Grabmann, *I divieti ecclesiastici di Aristotele sotto Innocenzo III e Gregorio IX* [65], l'opinion des historiens de la philosophie sur cette question n'a pas beaucoup changé. Van Steenberghen [66] par exemple suit principalement le raisonnement et les conclusions de Grabmann. Sans prétendre donner un tableau complet du dossier, il semble utile de résumer ici les données principales du problème. Les interdictions de 1210 et 1215 sont peu ambiguës: il est interdit, sur peine d'excommunication, d'enseigner les oeuvres d'Aristote concernant l'histoire naturelle. Il faut bien noter que cette décision ne concerne que la Faculté des Arts de l'Université de Paris et qu'il n'a jamais été interdit d'utiliser les textes indiqués (*Physique* et *Métaphysique*) dans des buts privés, mais on ne peut les lire et commenter ni dans les écoles publiques ni dans l'enseignement privé (*publice vel secreto*). En 1231 l'interdiction est reprise par Grégoire IX, mais sous une forme moins absolue: l'enseignement de l'histoire naturelle d'après les textes d'Aristote reste interdit jusqu'à ce qu'ils aient été examinés et purifiés de la suspicion d'erreur (*quousque examinati fuerint et ab omni errorum suspitione purgati*). Il est évident que Grégoire IX nommait la commission chargée de cette tâche dans l'intention d'inscrire les éditions corrigées au programme de la Faculté des Arts [67]. Néanmoins, la supposition de quelques historiens que la lettre de Grégoire IX impliquerait en fait l'abolition de l'interdiction, ne semble pas justifiée. Il est certain qu'il y eut des infractions même avant 1231, mais d'autre part il est vraisemblable que les effets de l'interdiction

---

[63] Voir ci-dessous p. 29 et l'Appendice.

[64] Notons cependant que deux citations appartiennent à Sénèque et non à Aristote et que deux autres n'ont pas été identifiées (voir *ad* III, 1c).

[65] *Miscellanea Historiae Pontificae V*, Rome 1941.

[66] *Aristotle in the West* (1970) ch. 4 et 5, p. 66-114; *La philosophie au XIIIe s.* (1966) p. 88 *sqq.*; *The Philosophical Movement in the XIIIth Cent.*, Edinbourg 1955 p. 41-8.

[67] *Cf.* De Wulf, *Histoire de la Philosophie Médiévale* II (1936⁶) p. 54.

durèrent au moins jusqu'à 1240 ou 1245, parce qu'avant cette date
toute la production littéraire de la Faculté des Arts à Paris a trait à
la logique, la grammaire et l'éthique et ne compte pas un seul
commentaire des livres d'histoire naturelle.

On utilise d'ailleurs deux autres arguments pour prouver qu'avant
1240 il n'y avait pas de place à Paris pour la *Physique* et *Métaphysique* d'Aristote. D'abord le fait que l'auteur du *De disciplina
scolarium* «qui décrit l'organisation scientifique de la Faculté des
Arts de Paris, où il avait été éduqué» ne mentionne parmi les oeuvres
d'Aristote que celles qui concernent la logique [68]. Il semble exagéré
de parler d'une description de l'organisation scientifique pour
indiquer un passage où le Ps-Boèce énumère quelques phases de l'enseignement, à savoir la grammaire et la dialectique, après quoi il
expédie les autres arts en une seule phrase: *Rethoriceque lepor qua-
druvialiumque honos studii comparacione adquisita pro posse non
habent omitti* (I, 18). Le reste du traité ne donne pas non plus lieu à
une mention des oeuvres d'histoire naturelle du philosophe.

Un argument comparable est basé sur le traité anonyme découvert
par Grabmann dans un manuscrit de Barcelone (Ripoll 109), qui est
un résumé des questions et des réponses qu'il faut connaître pour
passer ses examens à la Faculté des Arts. On suppose que le traité a
été écrit à Paris entre 1230 et 1240. Si cette supposition est correcte,
le fait que la *Physique* et *Métaphysique* ne prennent qu'une place
fort restreinte dans le programme, corroborerait la thèse mentionée
ci-dessus, que l'effet de l'interdiction a duré au moins jusqu'à 1240.
Seulement, il n'est pas certain que le traité anonyme soit originaire
de Paris, comme le prétend Van Steenberghen [69], qui suit Grabmann [70]. Au contraire, il semble y avoir des raisons pour douter de
cette hypothèse [71]. De toute façon, aussi longtemps que l'origine
du traité n'est pas établie, il vaut mieux l'éliminer de la discussion sur la Faculté des Arts à Paris.

Dans cet ordre d'idées, le premier argument de l'absence de commentaires parisiens sur l'histoire naturelle semble justifier l'hypothèse que l'interdiction continuait d'exercer son influence jusqu'à
1240. Une troisième phase dans l'évolution de l'Aristotélisme se dé-

---

[68] Van Steenberghen, *The Phil. Movement* . . . (1955) p. 43-4.
[69] *id. ibid.* p. 44.
[70] *Eine für Examinazwecke abgefasste Quaestionensammlung.* . . ., dans
Mittelalterliches Geistesleben II p. 183-199.
[71] Comme nous l'affirme le professeur De Rijk de l'Université de Leyde.
Je médite le projet d'une édition complète de ce texte.

veloppe de 1240 à 1255. L'interdiction perdait de sa vigueur. Des
maîtres comme Roger Bacon et probablement Robert Kilwardby
venaient commenter à Paris les textes dont il s'agit sans rencontrer
de protestations, tandis qu'à la faculté de théologie on utilisait
déjà le nouvel Aristote. Bien qu'en 1245 l'interdiction fût étendue
par Innocent IV à l'Université de Toulouse, qui auparavant avait
fait de la propagande pour son programme permettant la lecture des
textes interdits à Paris, peu de temps s'écoula avant que la liberté
d'enseigner ces textes ne fût rétablie. En 1255 l'enseignement
public de tous les traités connus d'Aristote est officiellement
assuré.

Dans cette situation, quel peut avoir été le rôle des *Questions de
Craton*? Si l'on considère que le *De disc. scol.* doit dater des années 1230-1240, la supposition que le passage des *Questions* a été
inséré dans le but de fournir la base d'un enseignement sur l'histoire
naturelle, paraît probable. Au lieu de commenter les textes d'Aristote, on pouvait à partir des *Questions* donner des cours généraux
concernant les mêmes sujets, mais de caractère moins discuté.
Pour répondre aux *Questions*, il convenait d'utiliser le *De generatione
et corruptione*, la *Physique*, les *Météores* et le *De caelo et mundo*
d'Aristote, de sorte que Craton servait de paratonnerre aux cours
d'histoire naturelle . . . sur le tonnerre !

Il est vraisemblable aussi que le premier commentaire sur le *De
disc. scol.* et notamment sur les *Questions de Craton* a été écrit rapi-
dement après le traité lui-même, sinon simultanément [72], c'est-à-dire
pendant la période au cours de laquelle l'interdiction était encore
en vigueur. Il est également compréhensible que dans cettte situation on ait isolé les *Questions* du reste du traité pour les enrichir d'un
commentaire. D'autre part, il serait erroné de supposer que le
commentaire dont nous présentons ici l'édition, soit entièrement
originaire de la Faculté des Arts avant 1255. Il contient des éléments
qui le datent plutôt après 1260 [73]. Mais n'étant pas un tout homogène, en ce sens qu'il n'est pas l'oeuvre accompli d'un seul auteur [74],
il nous paraît être la réflexion plus tardive d'un commentaire qui,
sous sa forme la plus ancienne, facilitait l'enseignement de l'histoire
naturelle dans la Faculté des Arts à Paris. Notre texte peut jouer

---

[72] Voir ci-dessus p. 10.
[73] Voir ci-dessus p. 8.
[74] Voir ci-dessus p. 9-10.

dans ce cas un rôle dans l'étude du premier usage des *libri naturales* à Paris [75].

Pour avaliser cette hypothèse, il faut évidemment supposer que le *De disc. scol.* a été lu dans la Faculté des Arts à Paris. Le fait que le texte ne figure pas dans le curriculum de cette Faculté comme le révèlent les Statuts de 1255 prouve seulement qu'en ces temps-là il était devenu inutile, Aristote lui-même l'ayant remplacé. Avouons que le niveau du commentaire semble plutôt correspondre à l'enseignement des écoles préparatoires, qui à Paris faisaient partie de l'Université [76], et que les commentaires sur Aristote sont à partir de 1245 de caractère bien plus compliqué et scientifique.

L'influence

Il faut évidemment faire la distinction entre l'histoire de l'influence des Questions de Craton et celle de l'influence de notre commentaire. La première est illustrée par le nombre des commentaires qui ont été écrits au cours du moyen âge pour répondre aux questions proposées par le mystérieux philosophe. Pour commencer, il y avait le fameux «commentaire original» (sur l'ensemble du *De disc. scol.*) d'un auteur aussi mystérieux que Craton lui-même [77]. Ensuite, nous rencontrons deux commentaires du XIIIe s., le commentaire anonyme dont nous présentons ici l'édition, et le commentaire d'Engelkinus, édité dans l'Appendice. Du XVe s. nous avons trois manuscrits contenant trois commentaires différents [78]. Même au début du XVIe s. un érudit a encore pris la peine d'écrire un commentaire — fantaisiste, il est vrai — sur les *Questions* [79]. Enfin, il y a eu au moins un autre commentaire dont nous ne connaissons pas de copie, au monastère St-Emmeran à Ratisbonne [80], et encore un autre utilisé par Jacobus Tymanni d'Amersfoort dans son commentaire sur les *Météores* [81].

Au total cela fait neuf commentaires, un nombre assez élevé pour le sujet d'un cours d'histoire naturelle. Il est intéressant d'observer que les trois manuscrits du XVe s. contenant trois commentaries datant vraisemblablement de ce même siècle sont originaires de

---

[75] *Cf.* Van Steenberghen, *Aristotle in the West* p. 76.
[76] *Cf.* Ps-Boèce p. 12-3.
[77] Voir ci-dessus p. 7 et 10.
[78] Voir ci-dessous p. 29 *sqq.*
[79] Voir ci-dessous p. 35 *sqq.*
[80] Voir ci-dessous p. 28-9.
[81] Voir ci-dessus p. 6.

l'Autriche, de l'Allemagne de l'Ouest et de la Hongrie [82], alors qu'au XIIIe s. les *Questions* attiraient surtout l'attention dans l'ouest de l'Europe et particulièrement en Angleterre [83]. Apparemment, l'histoire naturelle était à la mode dans les pays de l'Est au XVe s., comme elle l'était en Angleterre au XIIIe s.

L'histoire de l'influence de notre commentaire est beaucoup plus difficile à tracer. Nous avons déjà parlé des rapports entre notre commentaire et le «commentaire original», et de la forte contamination qui en résulte en partie [84]. Puisque le commentaire se trouvait souvent dans les marges des manuscrits du *De disc. scol.*, il semble naturel qu'il ait été copié également plus tard. Néanmoins, nous ne connaissons que quelques exemples plus tardifs que le XIIIe s.: le ms. B.N. lat. 18424 (début XIVe s.) en contient une forme assez brève qui ressemble beaucoup à celle du ms. P² [85], et le ms. Cambridge, Univ. Library Hh I 5 (début XIVe s. ?) contient une version de notre commentaire qui ressemble à G² et L [86]. Pendant que le *De disc. scol.* rencontrait une popularité de plus en plus grande, notre commentaire sur les *Questions* perdait de son influence dès la fin du XIIIe s. Ceci s'explique d'ailleurs facilement si l'on se rend compte que le niveau de l'enseignement de l'histoire naturelle présenté par notre texte est assez élémentaire et a été dépassé au cours de la seconde moitié du XIIIe s., lorsque la connaissance de l'univers et de la nature fit de grands sauts en avant du fait de l'introduction de la science arabe.

L'autorité de Craton a été citée par Jacobus Tymanni de Amersfordia [87], mais les théories qu'il lui attribue sont celles d'Aristote et d'Albert le Grand. Deux d'entre elles se trouvent dans notre commentaire, mais une troisième n'y figure pas. Il est peu vraisemblable que Jacobus Tymanni ait utilisé un exemplaire de notre commentaire, bien qu'il ait pu se faire qu'il disposât d'une version plus complète encore que celles que nous connaissons.

Les autres commentaires sur les «Questions de Craton»

Dans l'édition du Ps-Boèce, *De disc. scol.*, sont mentionnés [88] cinq types de commentaires sur les *Questions de Craton*. Les manuscrits

---

[82] Voir ci-dessous p. 29 *sqq.*
[83] Voir ci-dessus p. 9.
[84] Voir ci-dessus p. 11
[85] Voir ci-dessous p. 45-6.
[86] Voir ci-dessous p. 40 et 41-2.
[87] Voir ci-dessus p. 6.
[88] Appendice 1, p. 168.

mentionnés sous les numéros 1 et 2 ne représentent en fait qu'un seul type de commentaire, à savoir celui qui fait l'objet de la présente édition. Le commentaire mentionné sous le numéro 3, attribué par le manuscrit de Leyde à un «magister Engelkinus», a été imprimé dans l'Appendice à la fin de cet ouvrage. Ce commentaire date de toute façon du XIIIe s. et probablement même d'une époque très proche de l'origine du De disc. scol. car le ms. de Bâle (Univ. Bibl. O. IV. 35) qui en contient une partie, date de 1250 environ. En plus, il peut servir d'exemple pour mettre en lumière les ressemblances entre les différents commentaires, dûes sans doute à l'utilisation du «commentaire original» [89]. Le commentaire d'Engelkinus n'appartenant pas, comme l'on peut le voir aisément, au type dont nous présentons ici l'édition complète, a néanmoins des passages entiers en commun avec celui-ci. Tous deux citent le mystérieux *commentator*, ce qui explique le phénomène.

Outre ces deux commentaires du XIIIe s., nous connaissons trois commentaires du XVe et un du XVIe s., représentés par les mss. de Zeitz, Klagenfurt et Budapest et par l'édition de Raymundus Palasinus. On trouvera ci-dessous l'incipit et l'explicit de ces commentaires et une brève description de leur caractère. Nous sommes en présence de commentaires indépendants sur les *Questions* isolées de leur contexte du De disc. scol. Nous n'avons pas tenu compte des passages faisant partie de commentaires sur l'ensemble du *De disc. scol.* [90], ni des gloses dans les marges des manuscrits de ce texte datant d'après la fin du XIIIe s. Il se fait que les gloses marginales élaborées sur les *Questions* dans les manuscrits du XIIIe s. appartiennent toutes au type de notre commentaire édité ci-dessous.

Indépendamment des commentaires mentionnés ci-dessous, il y en a eu sans doute d'autres, par exemple celui mentionné dans le vieux catalogue du monastère Bénédictin St-Emmeran à Ratisbonne [91], dont l'incipit est différent de ceux qui nous sont connus:

---

[89] Voir ci-dessus p. 7-8.

[90] Comme par exemple le passage dans le commentaire de William Wheatley, dont une partie a été imprimée par C. Vansteenkiste, *Theology in Craton's School* dans «Angelicum» 1 (1969) p. 303-317.

[91] *Cf. Mittelalterliche Bibliothekskataloge Deutschlands und der Schweiz* IV, 1 (1977) p. 320, l. 5347-8; *cf.* aussi *id.* II (1928) p. 489 (catalogue du Karthause Salvatorberg): *Soluciones que moventur a Boecio in disciplina sed incomplete.* En plus, Jacob Tymanni d'Amersfoort doit avoir connu un commentaire différent de ceux dont nous avons une copie, voir ci-dessus p. 6.

Item questiones super Boecio de disciplina scolarium, et incipit prima questio: 'In sede Cratonis descripta in superficie' etc.

1. «Magister Engelkinus», XIIIe s. (ca. 1250). Mss.: Bâle, Oeffentliche Bibliothek der Univ. O. IV. 35 f⁰ 76ᵛ-77ʳ (ca. 1250), incomplet. Le ms. a appartenu au monastère de Rottweil sur le Neckar en Allemagne du Sud.—Leyde, Univ. Bibl. B.P.L. 217 f⁰ 73ᵛ-76ᵛ (XIVᵉ s.), provenant de Liège [92]. Dans le ms. de Leyde, le commentaire est précédé par le *De disc. scol.* avec un commentaire du même «magister Engelkinus» dont nous ne connaissons que la nationalité: *Expliciunt scripta super Boecium de disciplina scolarium compilata a magistro Engelkino alamanno* [93].

Pour l'édition de ce commentaire sur les *Questions*, voir l'Appendice.

2. Budapest, Mus. Nat. Lat. 247 f⁰ 1ʳ-4ᵛ (1431), incomplet.

Incipit: Hic incipiuntur alique questiones scripte in sede Cratonis, ut patebit per ordinem. Et primo queritur an inferiores (*lege* -is) nature complexionata virtutem sive eclipsim contrahit (*lege* -hant) a planetis aut a primis generantibus. Si a planetis, aut secundum nativitatem aut secundum eventum. Si ex generantibus, cum unum generancium sit album et reliquum nigrum, quare generatum non sit album nec nigrum vel quare generatum in extremitatibus quandoque assimilatur patri, in ceteris parturienti, quandoque neutri generancium. Illa questio est quadrumembris. Primo querit an generabilia et corruptibilia capiant suam virtutem vel suum defectum a planetis vel a generantibus, id est a parentibus; et si a planetis, aut hoc sit secundum cursum nature aut secundum eventum, id est a casu et a fortuna. Et si ex parentibus, quare est hoc, cum unum generancium sit album, reliquum sit nigrum, quare ipse generatum nec est album nec nigrum. Tunc quero quare est hoc quod ipsum generatum quandoque autem in membris extremis assimilatur patri et aliis matri et quandoque nec patri nec matri assimilatur. Ad primam partem illius questionis conceditur quod ita generabilia et corruptibilia capiant suam virtutem et etiam suum defectum a superioribus quam a generantibus, id est tam a patre quam a matre. Prima pars declaratur quia secundum astronomos tunc astra sunt (*lege* sive) corpora celestia diversimode respiciunt illa inferiora, quia quandoque influunt omnem castitatem, quan-

[92] *Cf.* Ps-Boèce p. 27-8.
[93] Colophon f⁰ 73ʳ.

doque sapientiam et ceteris virtutibus, quandoque influunt vicia, quia homo natus sub Saturno naturaliter erit malus.

Explicit: (f⁰ 4ᵛᵇ) Queritur colorum concrecio, id est per quam causam color concernit suum subiectum. Ubi notandum quod illa questio potest intelligi dupliciter: uno modo in genere cause materialis, alio modo in genere formalis. Si primo modo, tunc dicitur quod color perfecte concernit suum subiectum materialiter mediante superficie, et ideo dicit Aristotiles quod superficies primo modo coloratur. Similiter dicit in predicamentis si superficies est magna, albedo est magna. Si autem intelligitur in genere cause formalis, tunc dicendum quod color formaliter sive prout discernit subiectum vel aliud et nec lux recepta inperspicuo obscuro et terminato, sicut patet in *de senso* (*lege*-su) *et sensato* et in secunda *de anima* etcetera. Patet illa questio et terminus de illa materia seu de illis questionibus. Hec est finis sub anno dei 1431⁰.

Ce commentaire ne commence qu'avec la question II, 4. Il est entièrement différent de notre commentaire comme de celui d'Engelkinus, mais il possède quelques ressemblances avec les deux par suite de l'utilisation des mêmes sources, ce qui apparaît par exemple dans la réponse à la question II, 8:

(f⁰ 3ʳᵃ) Queritur que sit elementorum proportionabilis connexio, hoc est que sit debita ordinacio et quantitas elementorum inter se. Ibi dicendum quod mundus primo materialiter vero componitur ex quatuor elementis et quinta essencia que est celum, ut patet primo *Celi*. Ex quo patet quod elementa sunt partes mundi. Item dicendum quod elementa quoad habent proportionem in quantitate et omne elementum contemptu est in decupla proportione densius elemento continente, quia terra est in decuplo densior aque (*lege* aqua), et convertuntur, alias enim non posset bene salvari quod ex uno pugillo terri (*lege* terre) generantur decem pugilli aque, et ita terra millesima proportione est densior igne et minor igne. Sed quod terra sit magis densa et magis compacta quam aqua, huius ratio potest esse quia si non, tunc aqua liquefaciendo terram posset eam corrumppere, et ideo indiget solidimento et compactione. Item patet ipsorum proportio quoad continenciam ex qua omne locatum est equale in suo loco secundum continenciam, ut patet illo *Phisicorum*: 'Non unum elementum locat aliud, igitur etcetera'. Item elementa habent proporcionem in qualitatibus quia omne elementum continens convenit cum elemento contento in qualitate; que dicitur qualitas symbola, et ideo in eis elementis fit facilius transmutatio, quia facilius est corrumppere unam qualitatem quam duas. Et sic patet elementorum proportio tam penes qualitatem quam quantitatem. Sed ordo elementorum est quod <que> conveniunt in qualitate symbola debent est (*lege* esse) inmediata et illa que non conveniunt debent esse mediata etcetera.

La qualité de ce commentaire me semble assez inégale. La réponse à la question sur la marée, par exemple, est très concise, les questions III, 5 et 6 sont rassemblées en une seule réponse assez brève, tandis que la question II, 5 est longuement élaborée. Ceci, combiné avec le fait que la réponse à II, 4 est très longue, elle aussi, laisse supposer que le premier intérêt de l'auteur était l'astrologie.

3. Klagenfurt, Studienbibl. cod. pap. 21 f⁰ 201ᵛᵃ-212ʳᵇ (1464).

Incipit: Hec sunt questiones in sede Draconis scripte et de quibus intromisit se filius inconstancie volens ipsas dissolvere. Quarum prima talis est: Utrum dominator empirei celi, id est deus empirei celi, posset obfuscari, id est denigrari aut maculari, alique natura terrenitatis. Ista questio ponitur duobus modis. Uno modo theulogice, alio modo phylosophice. Theulogice proponitur sic: Utrum dominator celi posset obfuscari natura terrenitatis aliqua. Querit autem utrum possibile fuisset deum assumpsisse humanitatem et esse in terra natum. Et videtur quod sic. Queritur naturaliter, et secundum Aristotilem et commentatorem videtur esse impossibile et hoc probatur. Si illud quod magis videtur inesse possibile et non est possibile, id quod minus <minus> ; sed magis videtur quod homo assumeret naturam asininam et cum hoc esset impossibile, ergo multo magis impossibilius est deum assumere humanitatem.

Explicit: Sed si concrecio derivatur a concerno, -is, tunc sensus questionis est ille: per quem modum colores comprehenduntur a visu vel per visum. Ad hoc respondetur in secundo *De Anima*, ubi dicitur quod colores comprehenduntur a visu ipsis existentibus sub debita et determinata distantia, quia si color esset nimis remotus a visu, tunc visus non posset comprehendere colorem. Nec debet esse nimis propinquus in visu quia tunc iterum non posset comprehendere (*lege* -di) a visu. Et ergo bene dico quod requiritur medium dispositum, id est corpora perspicua ut est aer, aqua. Et quia si medium est opacum, densum et solidum, tunc non posset videri color. Unde dicitur cum admixtione luminis quia si aer non esset illuminatus, et quamvis ibi esset color, non tamen posset videri, ut in nocte vel tempore noctis. Et si unum illorum deficeret, non fieret concrecio celorum (*lege* co-). Nota quod non est ymaginandum sicut Plata (*lege* -to) ymaginabatur quod visus tanget rem visam, quia si hoc esset verum, sequeretur si fieret una inspectio, quod posset ita sepe inspicere quod posset aufferre.

Ici se termine le commentaire proprement dit. L'auteur avait certainement à sa disposition un texte de l'ensemble du *De disc. scol.* et probablement un commentaire, car il ajoute une phrase concernant la suite du texte :

Dum istarum. Hic ostendit quod filius inconstancie dixerit cum vidit se non perficere in istis questionibus. Et dividitur in duo : primo facit hoc, secundo ponit conclusiones ibi : sit ergo discipulus. Primo dicit etcetera.

Contrairement à la répartition des zones d'intérêt dans notre commentaire, ce ne sont pas ici les premières questions du troisième cycle qui retiennent le plus l'attention de l'auteur, mais bien les deux premières questions avec leur matière théologique. La réponse à la question I, 1 occupe plus de cinq colonnes, celle à I, 2 trois colonnes. La réponse à II, 4 est longue aussi, comme dans notre commentaire : elle remplit presque cinq colonnes. Les questions sur les planètes, II, 5 et 6, sont traitées de façon élémentaire, comme d'ailleurs la question II, 8 sur les éléments. D'autre part, la réponse à la question II, 3 est assez développée (sur près de quatre colonnes) et cite comme autorités Aristote et Abu Ma'shar. Certaines des réponses sont présentées sous la forme technique de la «questio», comme par exemple celle de I, 5 :

(f° 204va) Quinta questio est duplex in virtute, que fuit scripta in sede Draconis. Et primo queritur quare elementa continue transmutantur ad se invicem. Secundo queritur, si elementa transmutantur ad se invicem, utrum tunc sint eadem elementa in numero que prius fuerunt vel utrum sint eadem alia elementa. Respondeo. Primo queritur utrum elementa transmutantur ad se invicem. Et videtur quod non. Illa que sunt perpetua non transmutantur ad se invicem; sed elementa sunt perpetua; ergo etcetera. Maior patet quia quidquid transmutatur, hoc etiam corrumpitur. Minor patet : elementa sunt perpetua quia sunt de perfectione mundi. Unde dicit Linconiensis (*i.e.* Robert Grosseteste) primo *posteriore* quod verisimile est omnes species mundi in qualibet hora temporis permanere.

Oppositum huius arguitur. Alia transmutantur ad se invicem que habent unam materiam; sed elementa habent unam materiam;

ergo etcetera. Maior patet ex secundo *de generacione*. Minor patet: omnia elementa habent unam materiam.

Primo dicendum est quod elementa transmutantur ad se invicem, ita videlicet quod (f⁰ 204vb) aqua transmutatur in aerem et econverso, et sic de aliis. Videmus enim quod aqua transmutatur in aerem per calorem et aer transmutatur in aquam per frigiditatem, et sic de aliis.

Et tunc querit que est causa quod elementa transmutantur. Respondendum ergo quod quatuor sunt qualitates. Primo scilicet calidum, humidum, frigidum, siccum. Ille qualitates habent constituere elementa, ita quod frigidum et siccum constituunt terram, frigidum et humidum aquam, calidum et humidum aerem, calidum et siccum ignem. Ulterius respondendum quod inter istas quatuor qualitates iam actas calidum et frigidum sunt qualitates active, sed humidum et siccum sunt qualitates passive. Quod autem calidum sit qualitas activa, patet. Quando enim calidum agit in humidum, derelinquit ibi siccum. Sicut quando sol qui est calidus, agit in humidum sicut in lutum, tunc ibi erit siccum. Frigidum autem est qualitas activa. Unde quando frigidum agit in siccum, derelinquit humidum, sicut tempus hyemis quando frigus est magnum et intensum, tunc confringit (*lege* constringit) terram et in terra sic apparet humiditas. Et ergo patet quod calidum et humidum sunt qualitates active.

Ulterius nota quod si elementa ... *etc.*

4. Zeitz, Domherrenbibl. LXXI f⁰ 1^r-14^r (XVe s.).

Incipit: Prima vero literalis protractio, id est prima questio que sit de prima causa, videlicet in hunc modum: utrum dominacio empirei celi, id est virtus dominativa celi, hoc est deus, possit obfuscari aliqua natura participante, secundum hoc quod textus hic dupliciter potest legi, secundum quod hec questio duplici modo potest preponi (*lege* pro-). Primo modo sic: utrum deus possit sumere humanitatem. Ista questio spectat ad considerationem theolycam, quia apud theologos fit mentio de incarnacione dei. Ad illud respondet commentator quod secundum naturam multo pocius et possibilius esset hominem transire in formam asini quam deum fieri hominem, cum omnipotencia dei que est super omnia et super omnem naturam potuit hoc facere. Secundum hoc litera potest exponi sic: utrum dominacio celi, hoc est ipse deus, possit obfuscari, id est obumbrari, aliqua natura terrenitatis, id est terrena natura, scilicet humana participe, id est participante ipsam. Secundo modo potest proponi prout potest cognoscere eadem in cognicione[m] sive consideratur (*lege*-tione) phylosophiam (*lege*-ica).

Explicit: (f°14ʳᵇ) Si autem concrecio descendit a verbo concerno, nis, tunc intentio questionis est per quem modum visus concernat et apprehendant (*lege* -dat) colorem. Et est dicendum quod ipsum apprehendit positum sub determinata substantia (*lege* distantia) per medium diafanicum lumine admixto. Si enim color debet apprehendi, oportet etiam quod non sit nimis vicionatus, scilicet ut visibile sit positum super oculum sed medio modo debet distare. Oportet etiam quod medium inter visus et visibile ut (*lege* sit) dyafanum et perspicabile, quia si esset condensum ut murus lapideus, videri non potest. Oportet etiam quod illi dyafano lumine (*lege* lumen) admixtum sit quia licet aer dyfanicus sit lumine admixtus, tamen obscuritate, et per ipsum visus tum potest dirigi super visibile.

Nec tamen istud est intelligendum virtus secundum opinionem Platonis quo (*lege* qui) opinabatur quod visiva procederet ob (*lege* ab) oculo et tangeret tactu ipsum visibile, sicud alii sensus cognoscunt sua obiecta ipso (*lege* in quo?) tangunt, ut gustus dulcedinem, et sic colorem apprehenderet. Sic enim contingerent duo inconveniencia: unum quod quandocumque visus et quanto plus videret, quot tanto plus de eius substantia aufferret; contingeret etiam visis inv . . .bus modica hora deficire (*lege* -cere) etcetera.

De ces deux passages il appert clairement que ce commentaire a beaucoup de traits communs avec celui de Klagenfurt (no. 3). Ils ont au fond le même contenu, mais le texte du ms. de Zeitz est plus circonstancié. Le lien étroit entre ces deux commentaires est confirmé par le fait qu'on trouve ici la même particularité à la fin du texte que dans le ms. de Klagenfurt: une dernière phrase renoue avec la suite du texte du Ps-Boèce: *Sequitur aliud capetelum 'Cum autem', hic Boecius*. L'explication la plus vraisemblable est que les deux copistes utilisaient un commentaire sur l'ensemble du *De disciplina scolarium* pour rédiger leurs commentaires sur les *Questions*. S'ils utilisaient le même commentaire, il est naturel que leurs deux textes se ressemblent en ce qui concerne leur matière, sans cependant être identiques. Car il y a aussi des différences. Par exemple, dans le ms. de Zeitz la réponse à la question I, 1 est moins longue que celle dans Klagenfurt. Il en est de même pour la réponse à II, 3 qui ne fait d'ailleurs pas mention d'Aristote et d'Abu Ma'shar. Pour la question I, 5 la réponse diffère de celle de Klagenfurt: la

première partie de la réponse plus méthodique de Klagenfurt
manque et le texte commence par un passage sur les qualités ac-
tives et passives que l'on trouve dans Klagenfurt sous une forme
plus complète:

(f°3vb) Quinta questio quesivit quare elementorum sit continua
transmutacio, id est generacio et corrupcio. Ad hunc (*lege* hoc) est
dicendum quod ut recitatur in libro de quatuor primis qualitatibus
quod quatuor sunt prime qualitates elementares que sunt principium omnium miscibilium, scilicet calidum, frigidum, humidum et
siccum. Quarum quatuor due vocantur active, scilicet calidum et
frigidum, et due passive contrarie agentes (?) sicud humidum et
siccum. Calidum enim agens in humidum derelinquit siccum,
frigidum autem agens in siccum linquit humidum, ut patet si terra
iam fuit siccata et per gelu fuerit constricta et iterum calor illud
gelu dissolvat; apparent enim quasi (?) humiditates. Harum autem
qualitatum due coniuncte inveniuntur in quolibet elemento,
sicud terra est frigida et sicca, aqua humida et frigida. Ecce quomodo humidum in aqua repungnat sicco in terra. Item aer est
humidus et calidus, ignis vero siccus et calidus. Propter hoc contingit < quod > agunt elementa inter se corumpendo et generando,
ita quod ex pugillo terre per rarefactionem, id est per subtilitatem,
generantur decem pugilli aeris et / ex uno pugillo aeris generantur
decem pugilli ignis, quia ignis subtilissimus est. Et sic econtrario
fit descendendo per condensationem, ut de decem pugillis ignis
generatur unus pugillus aeris, et sic de ceteris. Patet sic. Ergo
patet cur elementorum sit continua transmutacio. Amplius queritur
etc.

La dernière partie du passage cité contient le même argument que
le commentaire qu' Engelkinus donne en réponse à la question
II, 8 (voir Appendice p. 135). Ainsi on peut dire que d'une part, les
commentaires de Zeitz et de Klagenfurt se ressemblent beaucoup,
mais que d'autre part ils ont suffisamment de différences pour les
considérer comme deux commentaires indépendants. Les ressemblances peuvent s'expliquer par l'utilisation d'un même commentaire sur le *De disc. scol.*, comme on l'a vu ci-dessus, mais qui n'était
pas le seul instrument de travail des auteurs des deux commentaires sur les *Questions*. De toute façon, ils sont entièrement différents de notre commentaire édité ci-dessous.

5. Raymundus Palasinus, éd. Lyon 1521 (chez Simon Vincent).

Raymundus Palasinus était professeur à Albi. Il est l'auteur d'ouvrages intitulés *Principia grammatices* (Lyon 1526) et *Verborum et interrogationum medulla* (Lyon 1529). Le volume édité par Simon Vincent en 1521 contient le *De consolatione philosophie* accompagné des commentaires du Ps-Thomas [94] et de Josse Bade [95], suivi d'une question commentée de la main de Raymundus Palasinus sur le *liberum arbitrium* (suggérée par *De cons.* V); ensuite, les *Questions de Craton* commentées, présentées comme l'oeuvre de Raymond; enfin, le *De disc. scol.* avec le commentaire de Josse Bade (*Boetius de disciplina scolarium ab Ascensio compendiose dilucideque explanatus una cum Quintiliani de officio discipulorum compendio et Sulpicii de moribus mensarum carmine iuvenili ab eodem Ascensio explanato*). La question sur le *liberum arbitrium* est présentée comme une *questio Cratonica*:

Titulus: Incipiunt questiones cratonice domini Raymundi Palasini in quintum librum Boetii de consolatione philosophie circa providentiam et liberum arbitrium.

Incipit questionis de libero arbitrio: Circa quintum de consolatu hec principalis volitat questio videlicet utrum divina providentia existente liberum arbitrium sit hominibus. Hec enim querit postquam deus ab eterno cuncta dinoscit ita certa sicut evenient, utrum homo habeat liberum arbitrium, id est sua voluntate possit eligere bonum vel malum . . .

Explicit: Manet intemerata hominibus arbitrii libertas faciendi bonum vel malum ratione cuius eternum vel gaudium vel supplicium merentur.

Titulus Quest. Cratonis: Sequuntur determinata circa questiones cratonicas per eundem Raymundum Palasinum. Prima questio.

Incipit: Hec est prima questionum in prima semicirculi parte contentarum que duplicem habet titulum. Primus titulus hoc intendit. Utrum divina natura possit humanam assumere, idest an creatura persone divine uniri possit. Hanc questionem tractant sacre theologie doctores in tertio sententiarum distinctione prima. Et dubium principaliter movet Gabriel in eadem distinctione articulo tertio arguitque quatuor mediis.

Explicit: Quartadecima et ultima omnium questionum in circulo contentarum. Questionis titulus hoc querit que est causa quare colores videntur. Causa quesiti in promptu quia diversitas noticie

---

[94] *Cf.* Ps-Boèce, Liste des commentaires 32 p. 29-30.
[95] *Cf.* Ps-Boèce, Liste des commentaires 19 p. 25-6.

ipsorum colorum a nobis causatur. Nam videmus qoud noticiam aliquorum colorum causamus in die non in nocte et econtra, ut in noctiluca que nocte ignis colorem habet, die vero non. Pro solutione tria veniunt notanda. Primum quid est color. Ad quod dicitur color est extremitas corporis perspicui in corpore terminato, ut habet philosophus in primo de sensu et sensato. Quantum ad secundum videndum est quantuplex est color. Ad quod respondetur. Color est duplex, scilicet proprie dictus et improprie dictus. Color proprie dictus est qui unicus in aliquo corpore est cuius noticia causatur mediante obiecto debite approximato et debite disposita potentia et diaphano illuminato. Color improprie dictus est cuius noticia non causatur mediante diaphano illuminato sed ex approximatione debita obiecti cum debita dispositione potentie visive ut color noctiluce cuius noticia causatur absque illuminatione diaphane. Unde noctiluca duplicem habet colorem, scilicet proprie dictum quo videtur de die et improprie dictum quo videtur de nocte. Ex predictis resultat solutio questionis, scilicet cause quare colores videntur, sunt iste, scilicet debita dispositio potentie visive inde debita approximatio obiecti. Tertio diaphanum: demum illuminatio diaphani. Tres prime cause sunt in colore improprie dicto: sed omnes quatuor in colore proprie dicto.

Colophon: Finis questionum cratonicarum deo agamus actiones gratiarum.

Ce commentaire que Porcher [96] appelait déjà fantaisiste, n'a, en effet, aucune valeur scientifique. Le principal souci de l'auteur semble être les divisions et subdivisions des questions et des arguments selon un ordre strict: *Ad primam improbationem dicitur, Pro supradicta notitia habenda ista sunt notanda. Primo . . . Secundo . . .*, etc. L'auteur renvoie volontiers à Aristote ou à saint Thomas (*Pro secundo vide commentaria sancti Thome*) et n'ajoute rien de nouveau ou d'intéressant, mais se contente de faire des distinctions inutiles accompagnées de commentaires biscornus. Voici, comme dernier exemple, la réponse à III,1a: Prima questio tertie partis semicirculi. Titulus hoc habet. Unde generatur terremotus. Pro cuius noticia est notandum quod terremotus est duplex, scilicet universalis et particularis. Terremotus universalis est commotio totius terre et iste non potest fieri naturaliter. Nam non possunt

---

[96] *Craton le philosophe* p. 315 note 1.

tante exhalationes includi in terra naturaliter que possunt totam commovere terram. Sed iste terremotus ab omnipotente causatur ad denotanda summa mysteria ut in passione et resurrectione Christi fuit eritque in futuro iudicio. Alius est terremotus particularis qui non est commotio totius terre sed alicuius partis illius et iste est naturalis qui a phisicis sic diffinitur: terremotus est tremor factus in terra propter calidam et siccam exalationem in terra perclusam exitumque petentem.

Notons que ce commentaire n'a rien de commun avec les passages sur les *Questions de Craton* dans les commentaires sur le *De disciplina scolarium* dont nous ne connaissons que des éditions imprimées: Anonymus [97], Ps-Thomas [98], et Josse Bade [99].

II. Présentation du texte

Les manuscrits

Le texte du commentaire présenté ci-dessous est entièrement fondé sur des manuscrits du XIIIe s. Cette décision repose sur des raisons pratiques. D'une part, neuf manuscrits semblaient suffire à l'établissement d'un texte fiable; d'autre part, ces manuscrits témoignant d'une interpolation importante [100], il y avait déjà une grande différence entre eux et il était vraisemblable que chaque nouveau manuscrit d'une époque plus récente aurait ajouté d'autres passages, peut-être originaires du XIIIe s., mais probablement plus récents eux aussi. Il semblait opportun de s'en tenir au XIIIe s., afin que le texte arrêté soit entièrement originaire de la période de 1260 à 1300.

Ajoutons que la popularité de notre commentaire ne s'est pas poursuivie pendant les XIVe et XVe s. Nous ne connaissons que quelques manuscrits de ces siècles qui en contiennent une version: Cambridge, University Library Hh I 5 et Paris, Bibl. Nationale lat. 18424, tous les deux du XIVe s. [101]. Ceci s'explique par le développement de la science depuis la fin du XIIIe s.: un commentaire comme le nôtre ne correspondait plus au niveau du savoir et aux exigences des lecteurs.

En ce qui concerne les neuf manuscrits du XIIIe s., ils diffèrent

---

[97] *Cf.* Ps-Boèce, Liste des commentaires 28 p. 28-9.
[98] *Cf. ibid.* 32 p. 29-30.
[99] *Cf. ibid.* 19 p. 25-6.
[100] Voir ci-dessous p. 46.
[101] *Cf.* Ps-Boèce, Liste des manuscrits no. 17a et 72.

entre eux à tel point qu'un classement n'était guère possible et la
méthode de la constitution du texte a dû être adaptée à ce fait [102].
Il y a néanmoins quelques rapports qui méritent d'être mentionnés,
parce qu'ils s'appliquent à des passages de longueur assez considérable. Ainsi, les mss. M¹ et B sont très souvent identiques: il peut
s'agir de deux copies d'un même exemplaire. De longs passages des
mss. L et L² sont identiques, mais à certains moments ils sont
totalement éloignés l'un de l'autre. Le ms. G¹ fait souvent partie du
groupe, mais pas toujours. Parfois le ms. M peut y être associé aussi,
mais c'est peu fréquent; le ms. M est d'ailleurs d'une qualité très
médiocre, contenant de nombreuses erreurs dont certaines en
commun avec le ms. T d'une qualité bien supérieure. Les mss.
LL²G¹ et parfois M comportent souvent des passages qui ne figurent
pas dans les autres mss. et qui donnent une impression plus «scientifique», mais ils rejoignent toujours leur texte.

Ci-dessous on trouvera pour chacun des neuf manuscrits du
XIII⁰ s. des renseignements divisés en deux catégories: sous I on
trouvera ou bien une description codicologique ou bien un renvoi à
une telle description dans Ps-Boèce, *De disciplina scolarium*; sous II
il y a des indications sur la forme sous laquelle le commentaire se
présente dans le ms. dont il s'agit (dans les marges ou indépendamment, ordre des questions, *etc*).

B = Brugge, Stadsbibliotheek 534 f⁰ 101ᵛ-102ᵛ (XIII⁰ s.) (incomplet).

I. Pour la description du ms., voir Ps-Boèce p. 40-1.

II. Le commentaire a été écrit dans les marges entourant le texte
du *De disc. scol*. L'ordre des questions est correct (d'abord sur la
partie gauche de haut en bas, ensuite sur la partie droite et sur f⁰ 120ᵛ
dans la marge gauche et puis sur toute la largeur de la marge
inférieure). La question II, 1 manque. Le commentaire est incomplet: il s'arrête à la question III, 3.

G¹ = Cambridge, Gonville and Caius College 136/76 p. 246-51
(fin XIII⁰ s.).

I. Pour la description du ms., voir Ps-Boèce p. 43-4.

II. Le commentaire a été écrit dans les marges entourant le texte
du *De disc. scol*. Il commence dans la marge inférieure de p. 246.
L'ordre des questions est correct. Des signes de renvoi indiquent à

---

[102] Voir ci-dessous p. 47.

quel endroit des marges l'on trouve la suite. Dans les marges intérieures et extérieures il y a parfois quelques gloses se référant au texte avoisinant, qui interrompent la suite du commentaire, comme par exemple sur p. 249 dans la marge intérieure. Sur p. 251, dans la marge inférieure, il y a la fin du commentaire suivie du colophon: «Expliciunt questiones Boecii». — Le scribe du commentaire et des autres gloses est vraisemblablement le même que celui qui a écrit le texte du *De disc. scol.*

G^2 = Cambridge, Gonville and Caius College 341/537 f⁰ 157ʳ-158ʳ (XIIIᵉ s.).

I. Pour la description du ms., voir Ps-Boèce p. 44-5.

II. Le commentaire a été écrit dans les marges entourant le texte du *De disc. scol.* L'ordre des questions est bouleversé à partir de f⁰ 157ᵛ. Au début les questions se suivent correctement, d'abord dans la marge supérieure de f⁰ 157ʳ, ensuite dans la marge extérieure et dans la marge inférieure. Dans la marge intérieure on trouve quelques gloses séparées sur *caelum*, *zodiachus* et *coluri*. Les deux dernières concernent en fait II, 1, la première I, 1 ou I, 3. Pour des gloses comparables, *cf.* les mss. MM¹ et l'apparat I *ad* II, 3.

La question II,4 continue sur f⁰ 157ᵛ, suivie de II, 5 et II, 6 dans la marge extérieure. Les questions II, 7 et II, 8 se trouvent dans la marge intérieure, tandis que II, 9 suit à II, 6 dans la marge extérieure.

La troisième série de questions commence avec III,1a dans la marge intérieure (après II, 8), suivie d'un passage difficilement lisible mais qui concerne sans doute III, 7b. Ensuite III, 1b (*cur concrepat*) se trouve au milieu du feuillet dans la marge inférieure. La question III, 1c-d commence en tête de f⁰ 158ʳ, suivie de III, 2 et III, 3a-b, d'abord dans la marge supérieure, ensuite dans la marge extérieure, où elles sont suivies par des commentaires sur le chapitre suivant de *De disc. scol.* (4, 1). La question III, 3c se trouve dans la marge inférieure; III, 4 manque: III, 5 se trouve à la fin des gloses de la marge inférieure après quelques gloses sur la suite du texte du *De disc. scol.* La question III, 6a manque; III, 6b et III, 7a suivent à III, 3c dans la marge inférieure; III, 7b se trouve sur f⁰ 157ᵛ (voir ci-dessus).

La main des gloses, bien que beaucoup plus petite que celle du texte du *De disc. scol.* lui-même, lui ressemble beaucoup. Ces gloses ont peut-être été écrites par le même copiste. De toute façon, elles sont contemporaines du texte lui-même.

L = London, British Library Arundel 52 f⁰ 58ʳᵇ-62ʳᵇ (vers 1300) (incomplet).

I. Parchemin, II + 119 + II ff., 31,5 × 22,5 cm. environ. Les feuillets de garde sont en papier. La reliure est moderne. — Le ms. est un recueil de 26 textes différents, qui fait néanmoins une impression assez homogène. — Dans le ms. entier il y a des initiales ornées en bleu et rouge. Il y a deux écritures: f⁰ 1ʳ-111ʳ une minuscule gothique *textualis* très régulière; f⁰ 111ᵛ-119ʳ une cursive avec de nombreuses ligatures et lettres à hastes et à queues. Cette dernière écriture se trouve aussi sur f⁰ 43ᵛᵇ (où il continue un texte écrit dans la première écriture) à 45ʳᵇ, tandis que le reste du texte dont il s'agit a été écrit sur une colonne dans une autre cursive (f⁰ 45ᵛ-47ʳ; 47ᵛ est blanc; sur 48ᵛ un nouveau texte commence dans une *textualis* régulière). La partie écrite dans une *textualis* n'est probablement pas d'une seule main, mais les transitions sont difficiles à à établir.

La justification varie à travers le ms. La plupart du temps le texte a été écrit sur deux colonnes, parfois (et cela arrive au milieu d'un même texte, par exemple f⁰ 100ᵛ-101ʳ) sur une seule colonne (longues lignes), une partie (f⁰ 78ᵛ-100ʳ) sur trois colonnes.

L'origine du ms. est inconnue. Il n'y a qu'une note de donation tardive (f⁰ 1ʳ): «Soc. Reg. Lond. ex dono HENR. HOWARD Norfolciensis».

Contenu: Pour les 26 textes contenus dans ce recueil, voir le catalogue. Noter que les *Questions de Craton*, qui commencent avec la deuxième question et s'arrêtent à l'avant-dernière, sont entourées de traités de grammaire qui précèdent et suivent sans changement de main, d'encre ou de justification: f⁰ 48ʳᵃ-57ʳᵇ *Formulae epistolarum* — f⁰ 57ʳᵇ-58ʳᵇ *Tractatulus de regulis accentandi* — f⁰ 58ʳᵇ-62ʳᵇ le commentaire sur les *Questions de Craton* — f⁰ 62ʳᵇ-63ʳᵃ *pars tractatus de grammatica* — f⁰ 63ʳᵇ-64ᵛᵃ *De archangelo Michaelo ad Paulum misso etc.* Sur f⁰ 68ᵛᵃ-72ʳᵇ on trouve Jean de Garlande, *Synonima*. Quelques textes sont en français: les nos. 16 et 17 (*De la sainte cité de Jérusalem* et *Le livre de clergie*). Le seul texte qui contient une matière comparable aux questions est un passage bref qui suit ce dernier texte français sur f⁰ 100ʳ, concernant la hauteur de la lune et des planètes.

Bibl.: *Catalogue of Manuscripts in the British Museum, New Series*, vol. I (1840) (*Part I: The Arundel Mss.*) p. 11.

II. Le commentaire a été écrit sous forme continue et indépendam-

ment du texte du Ps-Boèce qui ne figure pas dans le ms. Il est incomplet: il commence par la question I, 2 (*Secunda questio: Secundo
utrum spirituum*) et se termine avec III, 6b (*hyemalis putei etc. ...*
(*expl.*) *aque inferiores*).

Le texte est disposé sur deux colonnes de 46 lignes (sauf f⁰ 58ʳᵇ
de 24 lignes et 62ʳᵇ de 26 lignes). Justification: deux colonnes de
26,3/5 × 8/8,3 cm., séparées par 1/1,3 cm. (espace occupée par le
texte ca. 26,5 × 17,5 (sur 31, 5 × 22,5), encadrées par deux paires
de doubles lignes verticales et deux lignes verticales au milieu.
Les feuillets ont été réglés. L'encre est brune. L'initiale est en rouge
et bleu, comme les autres dans le reste du manuscrit. — Le texte a
été écrit par une seule main dans une *textualis* très régulière.

Le commentaire contenu dans ce manuscrit a été attribué à William Wheatley par Brian Lawn dans l'édition anglaise de son livre
sur les *Questiones Salernitane* (*The Salernitan Questions*, Oxford
1963, p. 83 n. 2) à cause d'une note, trouvée dans le manuscrit, de la
main de Sebastian. Plus tard, dans l'édition italienne (Salerno 1969)
cette erreur a été corrigée (p. 109 *sq.* n. 11).

L² = London, British Library 306 f⁰ 12ᵛ-15ʳ (vers 1260).

I. Pour la description du ms., voir Ps-Boèce p. 46-7.

II. Le commentaire a été écrit dans les marges entourant le texte
du *De disc. scol.* dans deux colonnes, de haut en bas, épargnant au
milieu un certain espace pour ce texte. L'ordre des questions est
correct.

Les gloses ont probablement été copiées en même temps que le
texte (*cf.* Ps-Boèce p. 47).

Une note dans le microfilm de ce ms. nous apprend que H. F.
Sebastian a attribué les gloses à William Wheatley. Je suppose que
cette attribution a été abandonnée.

M = Paris, Bibliothèque Mazarine 3642 f⁰ 50ʳᵃ-54ʳᵇ (fin XIIIᵉ s.).

I. Parchemin, III + 123 + IV ff., 30,5 × 23,3 cm., mais la partie
de f⁰ 96-121 est de 27,5 × 18 cm. Les feuillets de garde sont en
papier. La reliure est tendue de cuir brun clair. Sur le dos figure le
titre «Libri arithmetici et astronomici».

Le ms. est un recueil non homogène contenant plusieurs éléments:
1. f⁰ 1-2 ancienne table des matières avec indication des chapitres
— 2. f⁰ 3-6 fragment d'un texte sur les pierres — 3. f⁰ 7-49 présen-
tant plusieurs textes dans une même écriture — 4. f⁰ 50-95 contenant plusieurs textes qui faisaient probablement partie d'un recueil

plus ancien — 5. f⁰ 97-121 d'autre format et origine — 6. f⁰ 122-123 fragments. Ces éléments comportent un nombre d'écritures différentes. Elément 1: une seule. Elément 2: une seule (cursive). Elément 3: une seule (*textualis* régulière). Elément 4: un genre d'écriture mais plusieurs mains (la main des ff. 50-54 et celle de 82-85 se ressemblent; f⁰ 80 et 81, beaucoup plus petits que le reste ont été ajoutés plus tard peut-être par celui qui a écrit les ff. 50-54 (voir ci-dessous II); f⁰ 85ᵛ-87ʳ contiennent des tables; f⁰ 88ʳ-90ʳ des dessins; f⁰ 90ᵛ-95ʳ ont été écrits par une main qui ressemble à celle de f⁰ 55ʳ-69ʳ; la main de f⁰ 69ᵛ-80ᵛ, écrivant dans la même cursive, penche un peu vers la gauche et met de très lourds signes d'abréviation au dessus des mots). Elément 5: une écriture (*textualis*), mais plusieurs encres et peut-être plusieurs mains. Elément 6: fragments écrits par trois mains différentes.

Notons que le feuillet 95 a sans doute été un jour le dernier feuillet d'un volume. Il contient au verso quelques lignes dans une *textualis* probablement du XIIᵉ s. et une notice en français écrite à travers et partiellement grattée.

Le ms. contient plusieurs feuilles volantes, plus petites que les autres: f⁰ 58; f⁰ 80ᵇⁱˢ, tout petit morceau de parchemin, ajouté probablement pour une notice qui appartient au f⁰ 81, lui aussi plus petit que les autres et ajouté ultérieurement (*cf.* ci-dessous); f⁰ 93 contenant un dessin des *gradus affinitatis*.

L'origine du ms. est inconnue. Le recueil, tel qu'il est aujourd'hui, contient des éléments d'origine différente. Les éléments 3 et 5 (ff. 7-49 et 97-121) pourraient être d'origine italienne, d'autres parties ont peut-être été écrites par des Anglais (*cf.* ci-dessous). L'ensemble date probablement du XIIIᵉ s., bien que l'élément 3(f⁰7-49) semble être nettement plus ancien que l'élément 4 (f⁰ 50-95). Selon Porcher (*Craton le philosophe* p. 316) le ms. «a appartenu, à la fin du XIIIᵉ s., un Anglais qui y a ajouté de sa main les *Questions* de Craton (. . .), l'a pourvu d'une table et de titres courants et y a inséré quelques notes et des feuilles volantes, aujourd'hui numérotées 58, 80, 81 et 95 (2ᵉ colonne)». Notons que cet Anglais connaissait le français, car il explique (sous III, 2): *et est gallice garderolle.*

La table des matières montre en effet que le ms. a été très différent: «Liber Arsamidis philosophi; Astrologium Roberti; Planisperium Tholomei; Libri Thebit; Elementa Jordanis; Liber Euclidis; Divinationes Petri; Computus Petri. In isto volumine libri subscripti continentur cum capitulis eorundem et figuris. Liber primus Arsamidis philosophi de mensura circulorum . . .» etc.

Contenu: Voir le catalogue de Molinier p. 151-2 (Recueil de textes scientifiques. Les *Questions* sont précédées par un traité sur le Computus (f⁰ 13ʳ-49ᵛ) et suivie de Hermannus Contractus sur l'astrolabe (f⁰ 55ʳ-69ᵛ). Sur f⁰ 82ʳ commence un traité arabe sur l'astronomie, traduit par Adélard de Bath.).

Bibl.: *Catalogue des mss. de la Bibliothèque Mazarine*, par A. Molinier, t. III (1890) p. 151-2; J. Porcher, *Craton le philosophe* p. 315-8.

II. La partie de f⁰ 50ʳᵃ-54ʳᵇ. Le commentaire et le texte des *Questions de Craton*, en se succédant, forment un texte indépendant. Le texte du reste du *De disc. scol.* ne figure pas dans le manuscrit. Les questions elles-mêmes ont été écrites en lettres plus grandes et sont accompagnées de gloses interlinéaires. Chaque question est suivie du commentaire le concernant. Il y a quelques notices dans les marges indiquant le sujet dont il s'agit, et, dans la marge inférieure, de petits schèmes relatifs au contenu du texte. En tête de f⁰ 50ʳᵃ on lit: *Incipiunt questiones Boicii*. A la fin (f⁰ 54ᵛᵇ): *Expliciunt questiones Boycii de naturis rerum*.

Le texte a été écrit sur deux colonnes. Place occupée par le texte: 23,5 × 18 cm. environ. La largeur des colonnes varie beaucoup: sur f⁰ 50ʳ elles ont à peu près 7,5 cm., sur f⁰ 50ᵛ 8 cm.; plus loin, la colonne intérieure est plus large que celle à l'extérieur. La justification consiste en 4 lignes verticales encadrant les colonnes et croisées par la réglure. — L'encre est brune. Sur f⁰ 50ʳ la première capitale est en rouge et bleu. Les questions, en lettres plus grandes et sautant une ligne, sont marquées de bleu et de rouge alternativement, comme les notices dans la marge inférieure.

Le texte a été écrit dans une minuscule gothique de la fin du XIIIᵉ s. par une seule main. Le copiste était probablement un Anglais qui aurait aussi ajouté les titres courants dans le reste du ms. (à partir de f⁰ 7 jusqu'à f⁰ 95, mais pas sur les ff. 50-54) et qui aurait écrit les notes sur les feuilles volantes 80 et 81 (voir Porcher cité ci-dessus). Notons que sur f⁰ 81ᵛ deux notices mentionnent «le philosophe Craton» qui est ici faussement substitué à Eratosthène (*cf.* Porcher, *Craton le philosophe* p. 317 et l'introduction ci-dessus p. 4-5). La qualité du texte est très mauvaise, le ms. étant truffé d'un grand nombre d'erreurs.

M¹ = Venezia, Biblioteca Marciana VIII, 1 f⁰ 109ʳᵃ-115ᵛᵃ (vers 1265?)

I. Pour la description du ms., voir Ps-Boèce p. 49-50.

II. Le commentaire a été écrit sous forme continue ne contenant que des références au texte des *Questions* et suivant au texte entier du *De disc. scol.* (f⁰ 88^r-108^v), mais dans une autre main, c'est-à-dire dans la main qui a écrit les gloses accompagnant le texte du Ps-Boèce. Elle a été décrite par Porcher comme une «écriture anglaise». Le commentaire est incomplet: il s'arrête à III, 6b (*putei etc.* . . . . (*expl.*) *aque inferiores etc.*). — Le texte a été écrit sur deux colonnes d'environ 34 lignes (sauf f⁰ 105va: 14 lignes). Les feuillets ont été réglés. La justification consiste en deux paires de lignes verticales encadrant les colonnes.

P² = Paris, Bibl. Nationale lat. 16089 f⁰ 42^r-43^v (fin XIIIe s.).

I. Pour la description du ms., voir Ps-Boèce p. 56.

II. Le commentaire a été écrit dans les marges entourant le texte du *De disc. scol.* L'ordre des questions est entièrement bouleversé: sur f⁰ 42^r dans la marge extérieure on trouve la question I, 3, suivie de I, 4 qui continue dans la marge intérieure et puis au milieu de la marge inférieure. Là on trouve le début du commentaire: *Superioris vero*, et la question I, 1. Sur f⁰ 42^v, dans la marge extérieure, la question I, 2; au milieu dans la marge supérieure I, 5 qui continue dans la marge intérieure. Là aussi I, 6. En tête de la marge extérieure I, 7. Sur f⁰ 43^r, dans la marge intérieure, II, 1, II, 2 et II, 3 qui continue au milieu de la marge inférieure et ensuite au milieu de la marge supérieure et en tête de la marge extérieure. Ensuite, II, 4 qui continue dans la même main au f⁰ 43^v (marge extérieure). Une autre main reprend, sur f⁰ 43^r (marge extérieure), la même question II, 4 et continue avec II, 5, II, 6, II, 7, II, 8 et II, 9. La dernière question est poursuivie sur f⁰ 43^v (au milieu de la marge supérieure dont une partie a été coupée ce qui représente une lacune dans le texte). Ensuite III, 1a, b, d, qui continue dans la marge inférieure (au milieu), III, 2, III, 3a, b, c, III, 4, III, 5, III, 6a, b, III, 7a.

La première main qui a écrit les gloses jusqu'à II, 4 est contemporaine et probablement identique à celle qui a écrit le texte du *De disc. scol.* La deuxième main, qui commence donc avec la question II, 4, est plus tardive et moins nette. Elle commet plus d'erreurs et le commentaire, à partir de là, est plus restreint, ressemblant beaucoup moins à M¹ que le début du commentaire écrit par la première main. Notons que la première main utilise la même encre pour le commentaire et le texte, tandis que la deuxième main écrit à l'encre noire ou brun foncé, Celle-ci a aussi ajouté quelques gloses inter-linéaires à l'encre foncée. Les gloses écrites par la deuxième main ressemblent à celles que l'on trouve dans le ms. B. N. lat. 18424 du XIVᵉ s. (fᵒ 172ʳ-173ʳ), mais les dernières sont plus brèves.

T = Cambridge, Trinity College 598 fᵒ 4ᵛ-11ʳ (1260-70).
I. Pour la description du ms., voir Ps-Boèce p. 61-3.
II. Le commentaire a été écrit dans les marges du texte du Ps-Boèce. L'ordre des questions est correcte. Elles commencent dans la marge extérieure de fᵒ 4ᵛ, continuent dans la marge inférieure dis-posées sur deux colonnes. Sur fᵒ 5ʳ elles occupent la marge supérieu-re, la marge intérieure, et ensuite la marge inférieure en deux co-lonnes. Puis, le commentaire se trouve dans les marges inférieures (toujours sur deux colonnes) des ff. 5ᵛ-11ʳ. Malheureusement, un coin de fᵒ 11 a été arraché de sorte que la fin du commentaire manque à peu près entièrement. — La main qui a écrit le commentaire et les autres gloses qui accompagnent le texte du *De disc. scol.* semble de toute façon être contemporaine à celle qui a écrit le texte lui-même et elle est peut-être la même.

La constitution du texte

Justification de la méthode choisie

La méthode de la constitution du texte a été dictée par les cir-constances. La nature exceptionnelle du matériel a demandé d'autres principes de base que ceux que l'on applique dans une situation ordinaire.

Il est évident que les neuf manuscrits du XIIIᵉ s. cités ci-dessus contiennent tous une version d'un seul commentaire [103]. D'autre part, ils diffèrent entre eux de manière considérable, mais pas constante. La cause en est sans doute une contamination très éten-due et peut-être aussi le fait que plusieurs d'entre eux ont puisé, indépendamment, dans le commentaire sur l'ensemble du *De disci-plina scolarium* dont l'auteur est indiqué avec le terme *commen-tator* [104].

En outre, il n'y a aucun doute qu'un certain nombre de manus-crits contenant notre commentaire est perdu. Dans 6 des 9 manus-

---

[103] La répartition en deux groupes, comme je l'ai présentée dans mon édi-tion du *De disc. scol.* (Appendice 1 p. 168, groupes 1 et 2), a paru inexacte.
[104] Voir ci-dessus p. 7.

crits utilisés le commentaire se trouve dans les marges entourant le texte du Ps-Boèce. Les lacunes dans la tradition de ce texte sont évidentes [105]. Ainsi, il est au moins vraisemblable que certains manuscrits perdus contenaient, eux aussi, dans les marges, une forme de notre commentaire.

De toute façon, il était impossible de considérer un des neuf manuscrits comme étant à l'origine des autres ou de les répartir en deux ou plusieurs groupes, leurs ressemblances réciproques étant très variables et changeant d'une question à l'autre [106].

Ainsi, la reconstitution de la version originale du commentaire était exclue. D'autre part, le système du manuscrit de base, comme il a été employé pour le texte du *De disciplina scolarium*, aurait eu, dans la situation présente, un grand désavantage: le choix d'un seul manuscrit de base, n'importe lequel, pour l'ensemble du commentaire aurait impliqué qu'une bonne partie des réponses, parfois parmi les plus intéressantes, aurait été supprimée [107].

Dans le cas d'un texte aussi peu homogène que le nôtre, dont il est impossible de reconstituer la forme originale et que l'on ne peut plus considérer, dans ses formes transmises, comme l'oeuvre d'un seul auteur, c'est le contenu qui doit prévaloir contre la forme. La meilleure solution, semble-t-il, dans un tel cas est de fournir un texte le plus complet possible. Ainsi, tous les manuscrits du XIIIe s. ont été employés de telle sorte qu'ils se complètent les uns les autres. Dans le cas de plusieurs réponses différentes correspondant à une question, ces réponses sont présentées l'une après l'autre. Si d'autre part deux passages ne diffèrent que dans leur forme extérieure, contenant en fait la même réponse, l'un des deux a été choisi, décision que semblaient imposer des raisons d'économie. Il est inutile d'imprimer deux passages qui contiennent la même matière, si l'on adopte des critères de contenu et non de forme. D'autre part, il fallait, dans ces cas, choisir par une décision subjective le passage à imprimer contre le passage à éliminer et discerner, éventuellement, dans ce dernier des parties à citer. Pour avoir une idée des réponses semblables aux réponses imprimées, et

---

[105] Voir Ps-Boèce p. 36.

[106] Pour constater ce fait, il suffit d'étudier l'apparat I.

[107] On peut le constater en étudiant l'apparat I. Un exemple évident est fourni par le manuscrit G², qui n'est certainement pas un bon manuscrit, mais qui, vers la fin du commentaire, est parfois seul à nous donner une réponse intéressante (*cf.* la question III, 5).

de ce fait, entièrement ou partiellement éliminées, on trouvera ici deux exemples:

— *ad* II, 4 **8** au lieu du passage imprimé dans le texte (p. 84) on trouve dans LL²G¹ le passage suivant (à noter que L contient les deux passages à des endroits différents!): *Et volunt phisici quod in prima nativitate ut in conceptione seminum contrahant (-hunt L²) ista inferiora virtutes et vicia a planetis. Theologi autem (om. L²G¹) dicunt quod non, quorum opiniones sub silencio sunt pretereunde (-mittende L²).*

— *ad* III, 1 **b**1 au lieu du passage imprimé dans le texte (p. 98-100) les mss. TLM¹B contiennent le passage suivant (d'après M¹): *Nota etiam quod licet tonitrus prius fuerit quam coruscatio, prius tamen percipimus coruscationem quam tonitrum, quia ea que percipiuntur proprie visu prius percipiuntur quam ea que percipiuntur auditu. Quod patet per signum quia aliquo secante aliquid cum securi a remotis videbimus securim elevatam antequam sentiamus auditu sonum ictus. Et sic, cum coruscatio percipiatur visu et tonitrus auditu, prius percipimus coruscationem quam tonitrum.*

La méthode esquissée a pour résultat qu'aucune réponse ou partie de réponse, matériellement différente des autres, n'a été supprimée. Le texte imprimé ici est donc beaucoup plus long que les textes présentés par les manuscrits individuels. Il ne figure dans aucun manuscrit existant. D'autre part si l'on désire d'un point de vue historique, se faire une idée d'une seule version du commentaire, présentée par un seul manuscrit, on n'a qu'à relever les passages dont il s'agit à l'aide de l'apparat I (voir ci-dessous) [108].

Pour les passages traités comme des entités et représentés par plusieurs manuscrits, la méthode du manuscrit de base a été appliquée. Dans une situation où la tradition manuscrite ne mène pas de façon évidente à l'autographe ou, au moins, au manuscrit qui est à l'origine de tous les autres, il n'y a pas d'autre méthode ayant une certaine objectivité. Le choix personnel des variantes, résultant en un texte qui n'a pas existé, ne se justifie jamais. Les passages dans lesquels le texte présenté ici a été divisé figurent

---

[108] Ainsi, on peut par exemple suivre, dans les grandes lignes, le texte que contient T ou L², en regardant l'apparat I. On trouvera souvent des passages de ces bons manuscrits dans le texte. D'un mauvais manuscrit, comme M, on ne trouvera que rarement un passage dans le texte, mais, ici encore, on pourra à chaque question voir quelle réponse il contient au moyen de l'apparat I et parfois quelles variantes il contient au moyen de l'apparat II (voir ci-dessous pour le système des apparats).

tous dans un manuscrit existant et ont donc réellement été utilisés. Ce n'est que l'ensemble de ces passages qui n'a pas existé en tant que tel, mais on se trouve en présence d'une collection de passages historiquement authentiques.

Le système d'imprimer plusieurs manuscrits l'un à côté de l'autre en colonnes aurait pris beaucoup plus de place et n'aurait même pas toujours suffi pour donner toutes les réponses.

Il semble que dans le cas présent la méthode adoptée nous donne les meilleurs résultats possibles sans impliquer trop d'inconvénients.

Explication de la méthode et des apparats

— Pour chaque question, on trouve l'ensemble des réponses différentes présentées par les neuf manuscrits mentionnés.

— Dans le cas de deux réponses semblables mais pas identiques, la version la plus complète a été imprimée dans le texte, tandis que l'autre est nommée ou citée dans l'apparat I.

— Dans *l'apparat I* sont mentionnés — a) les manuscrits contenant le passage imprimé dans le texte — b) les manuscrits contenant une autre version de la même réponse, s'il en existe; parfois cette autre version est citée partiellement ou entièrement, si elle a un intérêt particulier.

— Le premier manuscrit mentionné dans l'apparat I est le manuscrit de base pour le passage dont il s'agit. Les manuscrits qui le suivent directement contiennent un passage identique et ont été utilisés dans l'apparat II.

— Le manuscrit de base de chaque passage a été choisi parmi ceux qui contiennent la version la plus complète de la réponse dont il s'agit, étant le meilleur représentant de ce groupe. Le texte présenté par ce manuscrit de base a été suivi, sauf en ce qui concerne les fautes, qui furent corrigées à l'aide des autres manuscrits contenant le même passage.

— Si, dans l'apparat I, une autre version est citée, entièrement ou partiellement, le texte s'appuie sur le premier manuscrit mentionné de ce groupe.

— *L'apparat II* est un apparat critique ordinaire. Il est positif, c'est-à-dire que le signe ך signifie un accord de tous les autres manuscrits mentionnés pour le passage en question contre la variante indiquée. Dans tous les autres cas, chaque manuscrit est mentionné.

— L'apparat II ne contient que les variantes réelles et tous les changements que le texte du manuscrit de base de chaque passage a subis.

— Dans l'apparat II on ne trouve pas

a) les variantes dans le texte du Ps-Boèce cité dans le commentaire

b) - les fautes (variantes qui ne donnent pas de sens)

    - l'orthographe

    - les variantes mineures comme *et* / *-que, autem* / *vero, etc.*

— Quant à l'orthographe: pour chaque passage, celle du manuscrit de base est entièrement reproduite. La division des phrases et la ponctuation ont été faites par moi.

LES QUESTIONS DE CRATON
ET LEURS COMMENTAIRES

SIGLES

B = Brugge, Stadsbibliotheek 534
G^1 = Cambridge, Gonville and Caius College 136/76
G^2 = Cambridge, Gonville and Caius College 341/537
L = London, British Library Arundel 52
L^2 = London, British Library Burney 306
M = Paris, Bibliothèque Mazarine 3642
M^1 = Venezia, Biblioteca Marciana lat. VIII, 1 (81)
P^2 = Paris, Bibliothèque Nationale lat. 16089
T = Cambridge, Trinity College 598

I, 1 utrum empirei celi dominacio terrenitatis aliqua participe natura posset obfuscari

1 *Superioris vero circuli.* Hic enumerat multas questiones que Cratoni philosopho ascribuntur. Prima est an deus existens in celo possit naturaliter carnem humanam assumere. Istam questionem solvit commentator dicens quod nequaquam naturaliter quia possibilius fuit hominem fieri asinum quam deum fieri hominem 5 nisi per miraculum.

2 Ad istam questionem dicit commentator quod non quia quorum non est proporcio, eorum non est unio. Preterea infinita distantia non sunt unibilia; huiusmodi sunt creator et creatura, ergo etcetera. Preterea una species opposita non fit alia nisi redigantur ad primam 10 materiam que tamen sunt in aliquo ut in genere conveniencia; ergo multo forcius prima causa que est immaterialis et in nullo conveniens cum hiis inferioribus, non poterit aliquod istorum inferiorum fieri et ita non potest incarnari. Hiis rationibus et consimilibus patet quod naturaliter non poterit incarnari. Sed 15 quia primus parens calliditate serpentis deceptus credens se potiri gloria per esum pomi vetiti nec tamen gloriari potuit sed corruit que sibi et subsequentibus magna erat miseria de qua condoluit patris potencia, consuluit se sapientia, contexuit benivolencia, se miscuit imis ex gracia. 20

3 *Empirei dominacio.* Ad hoc melius intelligendum nota quod celum secundum quosdam quadrupliciter vel tripliciter dicitur. Uno modo dicitur celum firmamentum, unde dicitur: «multiplicabo semen tuum sicut stellas celi». Alio modo dicitur celum aereum, unde illud: «volucres celi» etcetera. Tertio modo dicitur celum 25 cristallinum, unde dicitur: «qui extendit celum sicut pellem». Et secundum commentatorem ex isto celo dicuntur descendere in estate rores dulces super arbores ad modum mellis. Quarto modo dicitur celum empireum in quo sedet deus in carne humana cum virgine beata. Et nota quod dicitur celum quasi *casa elyos*, id est 30 domus solis.

4 Et sciendum quod triplex est celum, scilicet suppremum empirium in quo habitat tota trinitas cum beata virgine Maria et tribus suppremis ierachiis, scilicet seraphim, cherubim, troni. Qui ordines divino ardent amore, plenitudine gaudent sciencie et 35 iudicia discernunt iusticie. In celo medio vel cristallino habitant tres medie ierachie, scilicet dominaciones, potestates et principatus.

I, 1   **1** M¹ BG²P²   **2** L²G¹M; T présente les mêmes réponses sous une forme quelque peu différente (p.ex. *que sunt distantia per infinitum* au lieu de *infinita distantia*). En plus T insère (après *Hiis rationibus — incarnari*) le passage suivant: *Hoc enim testatur commentator dicens quod possibilius fuit hominem fieri asinum quam deum fieri hominem nisi per miraculum* (*cf.* I, 1, 1).   **3** M¹B; T a un passage comparable, excepté des divergences de mots, comme *firmamentum sive stellatum*, et, comme principale différence, l'inversion des troisième et quatrième cieux, combinée avec une autre explication du *celum empireum*: *celum empireum, id est igneum super quod celum est sedes dei in vera carne glorificata et divina virgo super choros angelorum et angeli et archangeli in manu dei sunt et anime iustorum*; P² contient un passage pareil à celui de M¹B, mais dans lequel l'ordre des deux premiers cieux est inversé; G² a une glose (dans la marge intérieure de f° 157ʳ) qui appartient en fait à la question I, 3, mais qui montre une forte ressemblance au texte concerné ici, excepté la fin: *cum beata virgine et cum angelis quibusluce. Sunt autem tres species ignis, scilicet carbo, flamma et lux.*   **4** M; *cf.* le passage sous I, 3, 2.

I, 1   **1** 1 enumerat M¹B tangit G²P²   2 ascribuntur] inponuntur G²   2 est an M¹B erat utrum G²P²   2 in celo M¹ in celo empireo BP² empireo G²   3 humanam] *om.* B   3 *post* assumere *add.* solutio G²   3-4 Istam questionem solvit commentator dicens] Ad hoc dicit commentator P²   4 nequaquam] non P²   5 possibilius fuit M¹B possibilius erat homini et naturalius G² possibilius et naturalius erat P²   5 *pr.* fieri] esse B   5 *alt.* fieri] *om.* P²
2 7 ad — commentator L² et videtur G¹M   8 *post* unio *add.* ergo etcetera M   8 Preterea] item M   8 infinita] in infinita M   10 redigantur] reducatur M   11 sunt] sit M   11 genere] generis M   14 Hiis — consimilibus] Hiis etiam cognitis M   15 naturaliter] Christi natura M   15 poterit] potuit M   15 calliditate] per calliditatem M   16 credens] credebat M   18 que — miseria] *om.* M   18 subsequentibus G¹ subsequencia L²   18 de qua] unde M   19 contexuit] se contexuit M   20 *post* gracia *add.* non ex natura M
3 22 quadrupliciter vel tripliciter M¹ quadruplex vel triplex B   26 *post* pellem *add.* etcetera B   28 mellis M¹ (TG²P²) festis B   31 domus M¹ *om.* B
4 40 sive *corr.* scilicet M

I, 1   Indication des sources et passages parallèles (les passages cités après *cf.* doivent être considérés comme des passages parallèles, les autres, sans cette adjonction, comme des citations)

4   La réponse est évidemment négative, *cf.* par exemple Pierre Lombard, *Sent.* II dist. VIII, 4.
21-29 et 32-43   Sur le nombre des cieux, il existe des traditions différentes. En ce qui concerne le nombre de trois cieux, *cf. De imag. mundi* 138-140 *aqueum coelum . . . spirituale coelum . . . ubi est habitatio angelorum . . . coelum coelorum . . . in quo habitat rex angelorum*; Michael Scot, *Liber Introd.* (voir M.-Th. d'Alverny, *Les Pérégrinations* p. 277-8, n. 5) *firmamentum . . . celum empyreum . . . celum intellectuale*; Raoul de Longchamps, *In Anticl.* II, 30 p. 101 *auctor*

Qui ordines dicuntur dominari mundo, principari populo et potestatem exercere in diabolo. In tercio celo qui dicitur celum stellatum sive firmamentum, habitant tres ultime ierachie cum ceteris 40 spiritibus et sanctorum animabus. Qui ordines dicuntur miracula facere, maiora hominibus nunciare et minora secundum suum officium ipsis intimare et eos custodire.

tamen hic facit mentionem de tribus tantum, scil. aereo, sidereo, empireo. La tripartition de notre passage (32-43) correspond à celle trouvée chez «Magister Asaph» (*cf.* M.-Th. d'Alverny, *op. cit.* p. 278): *firmamentum ... celum cristallinum ... celum empyreum* (qui se trouvent au-dessus de l'*aer* et de l'*ignis*). Pour les quatre cieux (21-32), *cf.* la glose sur Bède, *nat. rer.* 7, col. 200; Alexandre Neckam, *nat. rer.* I, 3 p. 17; Michael Scot, *Quest.* Lectio IV p. 283; cependant, notre passage, en ajoutant simplement le *caelum aereum* aux trois cieux mentionnés en 32-43, ne comporte pas de parallèle. En outre, il y a la théorie des sept cieux, théorie des théologiens, d'après Raoul de Longchamps (*In Anticl.* II, 30 p. 101), que l'on trouve aussi chez Barthélemy l'Anglais, *Propr.* 8, 2 p. 372-3.

— En ce qui concerne l'habitation des anges, ceux-ci sont localisés normalement au *caelum empireum* (comme le fait Barthélemy l'Anglais 8, 4 p. 379). Notre commentaire les répartit sur trois cieux selon les trois groupes des hiérarchies.

— Pour les hiérarchies, voir sous I, 2.

23-24   *Vulg. Gen.* 22, 17; 26, 4.
25   *Vulg. Ps.* 104, 12.
26   *Vulg. Ps.* 103, 2.

I, 2   utrum vitalis spirituum servitus terrene fecis ambitu queat nature
       subsidio denigrari

1   *Secundo utrum.* Hic ponit secundam questionem et est utrum
       angeli deo servientes possint carnem humanam assumere et hoc
       per naturam et est hic eadem solutio que ad questionem preceden-
       tem.

2   Secunda questio est utrum angeli deo servientes possent carnem   5
       humanam assumere et dicit commentator quod hec questio est
       idem cum prima, scilicet quod non est possibile naturaliter deum
       vel angelum incarnari, quia possibilius et naturalius est hominem
       fieri asinum quam deum vel angelum hominem. Aliter dicunt alii
       quod angeli tam boni quam mali naturas et complexiones omnium   10
       elementorum et elementatorum cognoscunt. Unde pro diversitate
       officii et administracionis diversa assumunt corpora et illa dissol-
       vuntur completo officio et redeunt in pristinam materiam.

3a   Nota quod vitales servitus dicuntur angeli quia vivifice deo
       serviunt, sed tamen secundum magis et minus, quoniam ille ordo   15
       angelorum qui cherubin appellatur de deo habet plenam scienciam.
       Officium autem illorum qui sunt de illo ordine est inducere hominem
       ad cognitionem dei et supracelestium. Seraphin est ordo angelorum
       qui inducit hominem ad delectationem dei. Unde propter nimium
       fervorem dilectionis et caritatis dei depinguntur habere facies   20
       rubeas. Tercius ordo angelorum appellatur troni et prevalet aliis
       in iudiciis dei dandis. In illis autem sedes dicitur; deus enim sedens
       est ibi iudicare. Officium autem illorum est inducere prelatos terre
       et primates ad recte iudicandum.

b   Isti tres ordines epiphania appellantur ab epi quod est supra et   25
       phanos quod est apparicio quia in illis melius apparet quam in
       aliis.

c   Quartus ordo appellatur potestates et iste prevalet aliis in eo
       quod potest imperare spiritibus malignis. Officium autem illorum
       qui sunt de illo ordine est depellere demones ab iniquitatibus   30
       hominum. Quintus ordo appellatur dominaciones. Iste prevalet
       aliis in sciencia scalaris reverencie. Istis enim data est sciencia que
       reverencia danda est uni et que alii. Officium autem illorum est
       inducere hominem ad talem scienciam. Sextus ordo appellatur
       principatus et iste prevalet in habendo usum scalaris reverencie.   35
       Officium autem illorum qui sunt de illo ordine est inducere homines
       ad usum scalaris reverencie, videlicet que reverencia est danda uni
       et que alii.

I, 2   **1** M¹BT; G² et P² ont des réponses tout-à-fait semblables   **2** MLL²G¹
3a L²LTM¹BP²G²   **b** L²LP²   **c** TM¹BP²; L et L² présentent des
passages semblables mais mutilés par des erreurs (*scolarium* au lieu de
scalaris) et des lacunes

I, 2   **1** 1 Hic — et M¹B Secunda questio T   2 possint TM¹ possent B   2-3
et — naturam] *om.* T   3 questionem] *om.* M¹
2 5 angeli] *om.* L   5 servientes] deservientes G¹   6 assumere] sumere
M   6 quod] *om.* L²   6-7 hec — prima M quod non et hic idem esse
quod in prima questione G¹ hic idem esse quod in prima LL²   7 est]
esset M   8 vel LG¹ et ML²   8 est MG¹ esset LL²   9 vel] et L²   10
omnium M *om.* LL²G¹   11 et elementatorum] *om.* L   11 cognoscunt]
agnoscunt G¹   12 et] *om.* L²   12 diversa] diverse M   12-3 dis-
solvuntur] -vunt G¹   13 completo — materiam M cum voluerint LL²
quando voluerint et non plus de hoc etcetera G¹
3a 14 vitales] -lis M¹G²   14 servitus L²LG² spiritus TM¹B serve(?)
servientes P²   14 quia] qui P²   15 *post* minus *add.* quia secundum
ordinem diversitatem qui novem sunt T   16 habet] *om.* L²L   17 il-
lorum] aliorum L²   18 Seraphin — inducit L²LG²P² Est alius ordo qui
vocatur seraphin et inducit T Est autem alius ordo qui seraphin appellatur et illi qui sunt de hoc ordine inducunt M¹B   19 delectationem
L²L dilectionem TM¹BG²P²   19 Unde] *om.* L²L   20 et caritatis dei
L²LG²P² ut dicitur M¹ *om.* B   21 *post* rubeas *des.* G²   21 angelorum
L²LP² *om.* TM¹B   21 prevalet L²LP² prevalent isti TM¹B   22-3 In —
iudicare L²L(P²) in illis enim deus omnium rerum dicitur sedens iudicare
T (*similia* M¹B)   22 *post* dicitur *add.* dei P²   23 est ibi L²L *om.* P²
23 terre L²L *om.* TM¹B *post* primates *transp.* P²
b 25 epiphania] epiphia L²   25 appellantur] vocantur P²   25 *et* 26
quod est] *om.* P²
c 28 iste prevalet T isti prevalent M¹BP²   29 potest T possint M¹
possunt BP²   29 spiritibus] operibus M¹   30 qui — ordine T *om.*
M¹BP²   30 iniquitatibus] inquisicionibus P²   31 hominum TP² hominis
M¹B   31 Iste prevalet T isti prevalent M¹BP²   33 alii] alteri P²   35
iste prevalet T isti prevalent M¹BP²   35 in habendo] quod iste dat P²
35 scalaris M¹B scalarum T   36 qui — ordine T *om.* M¹BP²   36 in-
ducere] conducere est M¹   37-8 videlicet — alii T *om.* M¹BP²

I, 2   Indications des sources et passages parallèles

10-11   Pour la connaissance parfaite des anges, *cf.* par exemple Ps-
Hugues de St-Victor, *Summa sent.* II, 6 col. 88 (qui suit Isidore). Pour le
terme *elementata*, *cf.* Ps-Boèce p. 150.

11-12   *Cf.* Pierre Lombard, *Sent.* II dist. VIII, ch. 1 p. 341; Guillaume de
Conches, *Phil.* 1, 19, col. 47-8; *Dragm.* p. 21-2.

14-50   Sur la hiérarchie des *ordines angelorum*, existent deux traditions
principales, celle du Pseudo-Denys et celle représentée entre autres par
Isidore. Les deux divisent les anges en trois groupes (*superiores, medii,
inferiores*) de trois ordres, mais le classement à l'intérieur des groupes diffère.
La répartition que l'on trouve sous I, 1 (29 *sqq.*) correspond à peu près à la
seconde tradition. Celle du présent passage contient la même singularité que
la division faite par l'auteur du traité sur les *Pérégrinations de l'âme* (*cf.*
M.-Th. d'Alverny p. 249), à savoir l'inversion des deux premiers ordres: les

d   Et isti tres ordines appellantur periphania a peri quod est medium
et phanos apparicio quia medio minus apparet quam tribus superio-   40
ribus et magis quam tribus inferioribus.

e   Septimus ordo appellatur virtus qui prevalet aliis in miraculis
faciendis, scilicet que contingunt preter solitum cursum nature.
Officium autem illorum est talia ostendere hominibus. Octavus
ordo appellatur archangelus et hoc nomen archangelus est nomen   45
cuiuslibet de illo ordine. Ipsi habent potestatem nunciandi hominibus que debent evenire preter solitum cursum nature. Nonus ordo
dicitur angelus quod nomen convenit cuilibet de illo ordine. Illi
habent potestatem nunciandi hominibus que possunt evenire per
naturam.   50

f   Nota secundum Ysidorum in libro de summo bono quod hoc
nomen angelus non est nomen nature sed officii; quia enim aliquid
nobis nunciant, ideo angeli appellantur. Angelus enim nuncius
nuncupatur.

ǵ   Et nota quod isti tres actus infimi appellantur ypofania ab ypos   55
quod est sub, ita quod hec dictio sicut diminucionem notet.

d L²LP²   e L²LTM¹BP²   f L²LTM¹BP²; T est presque illisible au
début de ce passage   ǵ M¹.

---

d 39 ordines] *om.* P²   39 quod est] *om.* L   40 medio] in medio modo P²
e 42 virtus L²L virtutes TM¹BP²   42 qui prevalet L²L et iste prevalet
T que prevalent M¹B   43 scilicet] *om.* M¹P²   43 solitum] *om.* M¹P²
45 *pr.* archangelus] archangeli TM¹P²   45 *alt.* nomen] *om.* L   46
cuiuslibet] cuilibet L   46 illo] *om.* L   46 ipsi] illi autem qui sunt ex
illo ordine T   47 que L²LP²ea que TM¹B   47 debent evenire L²LP²
solent accidere TM¹B   48 dicitur L²LP² appellatur TM¹B   48 angelus]
angeli TM¹P²   48 illo] *om.* L   49 possunt L²LP² debent TM¹B   49
post evenire *add.* et hoc P²
f 51 secundum Ysidorum M¹B *om.* L²L(T?)P²   52 aliquid L²L aliqua
TM¹B   53 appellantur] nuncupantur L   53-4 Angelus — nuncupatur
L²LM¹(B)P² angeli enim interpretantur nuncii T   54 nuncupatur L²LM¹
interpretatur BP²

---

chérubins sont présentés comme l'ordre le plus élevé, ce qui paraît (je cite
M.-Th. d'Alverny) «presque révolutionnaire» et est dû à des influences
orientales (*cf. id. ibid.* p. 250 et n. 1). Des descriptions de leurs fonctions se
trouvent par exemple chez Ps-Hugues de St-Victor, *Summa sent.* II, 5,
col. 85-6; Barthélemy l'Anglais, *Rer. Propr.* II, 6 *sqq.*, p. 25 *sqq.*

25 *epiphania*: *cf.* Barth. Angl. II, 7 p. 25, mais il continue avec *epo-
phonomia* (II, 11) et *ephionia* (II, 15).

32 et 35 *scalaris reverencia*: *cf.* Barth. Angl. II, 11 p. 32 *interscalari
reverencia.*

51-54 Isid., *De summo bono* XII; *cf. Etym.* 7, 5, 5.

I, 3   an Iudaice trine divisioni polorum an Aristotilice simplici adquies-
cendum sit

1   Tercia questio ibi: *Tercio an,* et est utrum tantum sit unicum
celum ut videtur Aristotiles velle an plures sint celi ut volunt
theologi. Ad illud sciendum quod Aristotiles dicit mundum terminari ad firmamentum et ultra illud nichil, secundum quod vult
Aristotiles in libro celi et mundi quod ultra ultimum excessum non   5
est locus nec tempus nec alteracio. Sed ibi est locus spirituum et
est ibi vita melior quam hic fixa in sempiterna seculorum secula.
Et ita secundum Aristotilem mundus est finitus et unum celum.

2   Secundum tamen theologos potest dici triplex, scilicet firmamentum quod dicitur celum stellatum, secundum quod dicitur: «multi-   10
plicabo semen tuum sicut stellas celi»; et est celum aereum, unde
illud: «volucres celi» et patet quod volucres non sunt nisi in aere;
et est celum empireum ubi est sedes dei et mansio angelorum et
est ignee nature quia ardet totum in karitate.

3   Secundum veritatem autem theologicorum triplex vel quadruplex   15
est celum. Et secundum eos celum empireum non est aliquantulum
quin maius et secundum hoc mundus est infinitus. Eligat igitur
quilibet discretus an velit credere veritati theologicorum an philosophice probabilitati.

I, 3 **1** L²LTG¹M; M¹BG²P² ont une réponse semblable mais plus brève.   **2** L²LG¹; M contient un passage semblable, raccourci de quelques phrases, mais qui est suivi, malgré le début (*triplex*!), par: *Quarto modo dicitur celum cristallinum et dicit commentator quod ex illo celo dicuntur descendere rores dulcissimi in estate ad modum mellis super arbores et huiusmodi* (*cf. ad* I, 1(3)); T remplace le passage entier par la phrase suivante: *Secundum tamen veritatem theologorum dicitur esse celum ut prenotatum est.*   **3** M¹BG²; P² a une réponse semblable mais dans laquelle la dernière phrase (*Eligat — probabilitati*) manque.

I, 3 **1** 1 tantum] *om.* G¹   2 Aristotiles velle] ab Aristotile M   2 sint L²L sunt G¹ *om.* TM   3 dicit L²L dixit TG¹M   5 ultra ultimum excessum L²T ultra excessum, id est ultra octavam speram G¹   5 excessum L²TG¹ accessum M   6 alteracio] alternatio G¹   6 Sed L²G¹ et LTM   6 spirituum] spiritibus T   6-7 et est — melior] in meliori vita M   8 est finitus] ibi finitur M   8 *post* celum *add.* tantum T
2 10-11 multiplicabo G¹ multiplicatur L² multiplicabitur L   13 mansio] mancio L²   13 *post* angelorum *add.* et archangelorum G¹   14 ignee] ignis G¹   14 quia] quod G¹
3 16 eos] hoc G²   17 et — infinitus] *om.* G²   18 quilibet M¹ unusquisque B quisque G²   18 theologicorum] theologice G²

I, 3 Indications des sources et passages parallèles

3-4   Arist., *De caelo* A9, 278 b 23-4; 279 a 6-7 (*ultimus excessus*: ἐσχάτη περιφορά 278 b 22).

4-6   Arist., *De caelo* A9, 279 a 11-12; 19-20.

3-6   *Cf.* Barth. Angl. p. 374: il paraphrase le passage d'Aristote *secundum novam translationem*. *Cf.* pour ligne 7 *id ibid.*: *unde illic est vita fixa et est sempiterna.*

8   Arist., *De caelo* B6, 287 a 8-9.

9-14   Pour le nombre des cieux, *cf. ad* I, 1.

10-11   *Vulg. Gen.* 22, 17; 26, 4.

12   *Vulg. Ps.* 104, 12.

13   *sedes dei et mansio angelorum*: *cf.* par exemple *De imag. mundi* 139-40; Alex. Neckam, *Nat. rer.* I, 3 p. 17; Barth. Angl. 8, 4 p. 379. En général, le *caelum empyreum* est considéré comme l'endroit où habitent les anges, tandis que Dieu (ou la Trinité) est au *caelum intellectuale* (Michael Scot, *Liber introd.*, voir M.-Th. d'Alverny p. 277-8 n. 5) ou *caelum caelorum* (*De imag. mundi, loc. cit.*) ou *caelum Trinitatis* (Alex. Neckam, *loc. cit.*). «Magister Asaph» dit différemment (B.N. lat. 6556 f° 2ᵛᵃ): *celum cristallinum, et hic est locus ubi mali angeli ceciderunt ... celum emphyreum, ubi moratur sancta ... divinitas cum omnibus angelis.*

15   *Cf. ad* I, 1.

I, 4 si Iudaice, an termini sint ex ipsis et in ipsis an quodlibet singillatim
et si Aristotilice, cum partes totius localiter moveantur, quare
totum non

1   Quarta questio ponitur ibi: *si iudayce*, et est subdividens terciam
et ita bifurcata est. Si opinioni theologorum consenciendum sit,
ita scilicet quod triplex ponatur celum, tunc queri potest utrum
illorum trium celorum extremitates sint continue an contigue. Et
sunt continua quorum ultima sunt unum, contigua sunt quorum   5
ultima sunt simul, ut vult Aristotiles in sexto fisicorum. Et si
consenciendum sit Aristotili ita quod ponatur unicum esse celum,
quare cum partes celi moveantur localiter, quare totum non sic
movetur sed semper in eodem loco ambitur.

2   Circa primam partem huius questionis, scilicet utrum termini sint   10
contigui vel continui, sic potest procedi. Primo quod non sit continuacio eorum ad invicem nec etiam primus orbis continuatur cum
hiis inferioribus, quod videtur sic: nullum motum motu contrario
alii est continuum illi; set primus orbis movetur motu contrario
motibus inferiorum orbium, quod patet quia motus primi mobilis   15
est ab oriente in occidentem, motus autem orbium planetarum est
econtrario contra firmamentum; ergo non sunt continui. Preterea
motores sunt distincti et separati, ergo mota distincta et separata,
et si hoc, ergo sunt contigua et non continua. Preterea si orbes
essent continui, tunc non videremus corpora supracelestia in diversis   20
sitibus cuiusmodi sunt stelle et planete que in diversis sitibus
apparent. Preterea orbes inferiores sunt in primo orbe ut in loco
quorum natura est diversa, ergo etcetera.

Ad oppositum sic: orbis totus sive celum est eiusdem nature in
toto et in parte, ergo multo forcius eius partes sunt continue ad   25
invicem quam partes animalis que sunt diverse nature. Preterea si
partes celi non habent continuitatem, sequeretur quod haberent
diversitatem actualem quod est inconveniens. Preterea sicut est
in microcosmo, sic est in macrocosmo; set in microcosmo est continuacio, ergo in macrocosmo. Preterea animal magnum ut celum est   30
causa parvi animalis ut hominis et ceterorum; set partes hominis
sunt continue, ergo et partes celi. Preterea orbes aut sunt fixi aut
non. Si sic, habeo propositum quia ex fixione causatur continuacio.
Si non, tunc motus eorum generaret sonum, quod improbat Aristotiles. Item quando aliquid movet aliud oportet quod sit continuatum   35
cum eo quod movet; set orbis primus movet inferiores, ergo etcetera.

I, 4   **1**   L²LG¹M; M¹B présentent une introduction comparable mais un peu plus brève; T ressemble à l'une et à l'autre, surtout à M¹B   **2**   L²LTG¹M

I, 4   **1**   2 bifurcata est L² bifurcata et est L bifurcata et si quod G¹ bifurcata et ideo questio est si M   2 consenciendum] inside...(?) L²   4 sint] sunt M   4 continue an contigue] contigue vel continue M   4-5 et — unum *post* fisicorum *transp.* M *om.* L   5 ultima] extremitates sunt edem sive ultima G¹   6 ut vult Aristotiles] secundum Aristotilem M   6 sexto] libro G¹   7 sit] est M   7 ita — celum] ponendo unicum celum M 7 esse celum L²L celum tantum esse G¹   8 quare] queritur G¹   8 sic] *om.* M   9 movetur L²L moveatur G¹M
   2   10 circa] contra L²   10 partem huius questionis] questionem T   10 scilicet L²TG¹ *om.* LM   11 contigui vel continui] *inv.* LTG²M   12 ad invicem L²LG¹ *om.* TM   12 nec] quia nec T   12 etiam] *om.* L   13 hiis L²LG¹ *om.* TM   14 illi L²TG¹ *om.* M   15 inferiorum orbium L²L inferioribus TM inferioribus vel inferiorum orbium L   15 quod L²LG¹ hoc TM   16 occidentem] -te L²   17 contra — continui L²LG¹ ergo etcetera M *om.* T   17 firmamentum L² motum firmamenti LG¹   17-9 Preterea — continua *post* apparent (22) *transp.* G¹   19 ergo sunt] erunt erunt M   19 non continua] communia T   20 supracelestia L²LG¹ celestia TM   20 diversis] suis M   21 *pr.* sitibus] locis T   21 cuiusmodi G¹M eius L cuius L²T   21 que] qui M   21 *alt.* sitibus L²LG¹ locis M sitibus vel locis T   23 ergo etcetera] *om.* T   24-5 in toto et in parte] *inv.* T   26 Preterea] item M   27 habent] haberent M   28 actualem] aut identitatem M   30 *post* ergo *add.* et T   30 in macrocosmo] etcetera M   32 partes] *om.* M   32 Preterea] item M   32 *pr.* aut] *om.* L   33 *post* sic *add.* ergo G¹   33 fixione] fixo L²   33 causatur G¹ creatur L debetur T sequitur M necantur L²   33 continuacio] continuitas T   35 Item] preterea L   35 movet aliud] movetur L   36 ergo] quare T *om.* L

I, 4   Indications des sources et passages parallèles

5-6   Arist., *Phys.* E 3, 226 b 23; 227 a 10-3; *cf.* le commentaire d'Averroès sur ce texte, où l'on trouve exactement la même formule.

13-8   Robert l'Anglais, discutant de la même question, utilise le même argument (*Compilatio* ... p. 146).

15-7   Pour cette théorie que l'on trouve entre autres dans l'*Almagest* de Ptolémée, voir sous II, 5 (6-7).

34   Arist., *De caelo* B 9, 290 b 12 *sqq*.

Preterea durante specie durabit speciei continuacio; set corpora
supracelestia durant sub specie, ergo et eorum continuacio durabit.
Preterea Aristotiles in primo meteororum concludit sic: aer igitur
est continuus cum igne et aqua est continua cum terra et unusquis- 40
que amborum est continuus cum altero et ita multo forcius in superioribus erit continuacio, quod potest concedi.

Unde ad raciones in oppositum dicatur ad primam sic: quod maior
est falsa quia per obedienciam parcium ipsius simul et semel possunt
in ipsis motus contrarii esse, ut patet de partibus aque. Ad se- 45
cundam dicatur quod omnes motores inferiores habent dependenciam a motore primo et in illo habent unitatem racione illius depen-
dencie et propterea non est necesse mota esse distincta. Ad terciam
dicendum quod non cogit quia corpora supracelestia ex motu primi
orbis sunt in diversis sitibus quoniam quandoque in oriente quan- 50
doque in occidente. Ad quartam dicendum per interemptionem
maioris.

3 Ad habendum ergo solucionem huius prime questionis sciendum
secundum quosdam quod aer terminatur in medio inter nos et
lunam. Ignis autem elementum terminatur ad lunarem globum. 55
Ultra enim lunarem globum non est ignis elementum, sed ultra
ipsum est quinta essencia cuius prima pars pura est que cedit in
celum stellatum, alia purior que cedit in celum cristallinum, tercia
purissima que cedit in celum empireum. Unde dici potest quod
eorum termini sunt continui secundum quod copulantur ad ter- 60
minum communem qui sapit naturam duorum extremorum. Planius
tamen videtur quibusdam quod sunt contigui. Dicit enim commentator: cum redierim de locis illis et qualitatem aspexerim, solucionem
apponam.

4 Ad habendam solucionem secunde questionis specialis sciendum 65
quod motus localis quidam est linealis sive rectus et quidam orbicu-
cularis sive circularis. Differt motus rectus a circulari, quia motus
rectus est proprietas que inest alicui ex eo quod motu suo lineam
rectam describit vel est quedam proprietas que inest alicui eo quod
modo est in uno loco et iam erit in alio qui non est ille. Motus autem 70
circularis est quedam proprietas que inest alicui eo quod motu
suo circulum describit circa centrum quod est immobile, sed extremitates sunt mobiles. Et ideo partes celi moventur localiter per se,
totum autem per accidens.

3 TMM¹B; G²P² ne contiennent que la dernière partie de ce passage (*potest dici quod termini celorum — solucionem apponam*).   **4** TMM¹B; G²P² ont un passage semblable; L²LG¹ ont une réponse plus brève mais qui revient à la même chose: *Ad aliam partem questionis dicitur quod partes celi moventur localiter per se, totum autem per accidens. Vel dicatur quod celum motu suo circulum describit ubi centrum est immobile, extremitates vero, que partes sunt, mobiles esse dicuntur.*

37-8 Preterea — durabit] *om.* M   38 supracelestia L²LG¹ celestia T 38 et L²G¹T *om.* L   39 Preterea] item M   39 in primo meteororum L²LG¹ in principio methaphisice T in libro methaphisice M   39 igitur] *om.* M   41 *post* altero *add.* hec est conclusio ipsius Aristotilis T et ita concludit Aristotiles M   41 multo forcius] multiforcius L²   42 quod potest concedi] Dicendum quod illi termini sunt continui vel copulantur ad terminum communem qui sapit naturam duorum extremorum M (*cf.* I, 4(3)) 43 in oppositum] oppositas T   43 dicatur] respondeatur T dicendum est M 43-4 maior est] videtur esse M   45 in ipsis L²L in ipso TM ipsius G¹   45 de] in TM   46 *post* secundam *add.* rationem TM   46 dicatur] dicendum TM   46-7 dependenciam — habent] *om.* T   47 unitatem] equitatem M 48 propterea G¹ propter hoc TM preterea L²L   48 *post* terciam *add.* rationem TM   49 supracelestia] celestia etiam T   51 *post* quartam *add.* rationem TM   51 dicendum] respondendum est T   51 interemptionem] interduccionem M (*lege* -dictionem?) **3** 53 ergo T *om.* M¹B ergo rectam M   53 huius T *om.* MM¹B 53 *post* questionis *add.* harum questionum specialium M¹ harum specialium B 54 secundum quosdam] *om.* M   57 ipsum T globum lunarem M¹B *om.* M 58 alia — cristallinum] *om.* T   60 eorum TM celorum M¹B   60-61 secundum — extremorum T *om.* M   60 secundum T vel contigui vel M¹B 61-2 planius — contigui T (M: continui) *om.* M¹B   62 quibusdam T aliquibus M   63 et — aspexerim] *om.* M¹B   63 qualitatem T qualitates B **4** 66 linealis T linearis M¹B   66 et quidam] aut M   67-70 Differt — ille] *om.* M   67 Differt TB differunt M¹   67 rectus T linearis sive rectus M¹B   68 rectus T linearis M¹B   68 mo<t>u T   70 iam TM¹ *om.* B 70 <er>it T   71 circularis T orbicularis sive circularis M¹B   71 eo T ex eo M¹B   72 <de>scribit T   72 circa — sed T ubi centrum est immobile et M¹B   73 sunt T *om.* M¹B   73-4 partes — accidens T partes moventur, totum autem non M¹B   73 <per> se T

39-41   Arist., *Meteor.* A 2, 339 a 18-9; *cf.* 341 a 3.

53-9   *Cf.* Michael Scot, *Quest.* Lectio IV p. 277-8 *Hic determinat orbes quinte essencie incipiens a spera lune*; Raoul de Longchamps, *In Anticl.* II, 30 p. 220. L'ordre dans lequel sont cités *aer, ignis, celum stellatum, celum cristallinum, celum empireum* est celui de «Magister Asaph» (*cf. ad* I, 1), mais celui-ci ne mentionne pas la *quinta essencia*.

65-74   On rencontre le même sujet chez Barthélemy l'Anglais, *Rer. propr.* 8, 2 p. 375, mais sans explication des causes, et chez Jean Buridan, *Quest. de celo et mundo* 1, 4, 2, qui donne une réponse différente. L'utilisation du commentaire d'Averroès sur *De caelo et mundo* aurait permis de donner une réponse plus satisfaisante.

I, 5   cur elementorum continua transmutacio et an eadem que primo
       omnia elementa consistant

1   Quinto cur elementorum etcetera. Hic ponit quintam questionem
et est contexta ex duabus questionibus specialibus. Prima est cur
accidit continua transmutacio in elementis. Secunda est an modo
sint eadem elementa que fuerunt in principio mundi. Ad solucionem
prime questionis sciendum quod continua transmutacio elemento-   5
rum est quia terra rarescens transmutatur in aquam et aqua
rarescens in aerem et aer rarescens in ignem et hoc vult quidam
philosophus.

2   Et dicuntur elementa quasi yle ligamenta. Est autem yle primordialis materia. Et sunt quatuor elementa ex quibus constant   10
omnia. Que in modum circuli in se revolvuntur, dum ignis in aerem,
aer in aquam, aqua in terram convertuntur, et rursus est conversio.
Hec singula propriis qualitatibus quasi quibusdam bracchiis se
invicem tenent et discordem sui naturam in concordi federe vicissim
commiscent. Nam terra arida et frigida frigiditate aque connectitur,   15
aqua frigida et humida aeri humido astringitur, aer humidus et
calidus calido igni sociatur, ignis calidus et siccus aride terre copu-
latur.

3   Sed tamen non videtur quod elementa continue transmutantur
propter rarefactionem quia rarefactio non est transmutacio elemen-   20
torum, sed quedam disposicio materialis exacta ad transmutacio-
nem. Preterea sciendum secundum Aristotilem in libro de generacione et corruptione quod quodlibet elementum generatur ex
quolibet mediantibus qualitatibus activis et passivis, scilicet
calido, frigido, humido, sicco, in ipsis receptis, et sic ex se invicem   25
nata sunt generari.

4   *et an etcetera.* Istud est quoddam annexum eo quod quinto loco
ponitur et est an nunc sint eadem elementa que in principio mundi
fuerunt. Circa istud est <triplex> opinio. Dicunt enim theologi
quidam quod elementa pura creata erant, et etiam planete, sed   30
propter peccatum Ade obscurabantur et subiciebantur trans-
mutacioni nec sunt nunc eadem que prius. Alii dicunt quod quantum ad fulgorem non est in ipsis ydemptitas, sed quantum ad eorum
essenciam. Alii dicunt quod non sunt nunc eadem que prius nec
in forma nec in essencia et hoc propter eorum continuam trans-   35
mutacionem.

I, 5   **1** TMM¹BP²; la réponse présentée par LL²G¹ à la première partie de la question est très brève: *et potest dici quod quia continue generantur et corrumpuntur, ideo continue transmutantur.*   **2** TMLL²G¹   **3** TMM¹ BP²   **4** L²LG¹; TMM¹BP²G² ont un passage comparable (qui commence avec: *Ad solucionem secunde questionis sciendum quod de elementis duplex est opinio*) dans lequel la seconde opinion manque (*Alii — essenciam*), mais à la première opinion a été ajouté: ... *obscurabantur, et etiam ceteri planete, ut patet adhuc in luna que in quadam sui parte umbrosa est.* A noter que dans G² il n'y a que ce passage pour la question entière.

I, 5   **1** (T est pour le passage I, 5, **1** et **2** jusqu'à la ligne 15 un peu mutilé dans la marge extérieure: il manque parfois une ou deux lettres, faciles à corriger et non notées dans l'apparat suivant)   2 ex] *om.* M   2 specialibus] *om.* MP²   2 *ante* prima *add.* quarum M¹BP²   2 cur] an T   3 in elementis] elementorum M¹BP²   3 modo] *om.* B   4 *post* que *add.* prius M   5 questionis T *om.* MM¹BP²   5 sciendum] dicendum M   6 *post* rarescens (bis) *add.* transmutatur MM¹BP²   7-8 et — philosophus T ut volunt philosophi M et istud dicunt omnes M¹BP²
2   9 Et — quasi TM Preterea sicut vult quidam philosophus (*cf.* I, 5(1)) elementa sunt quasi L²LG¹   9 yle ligamenta] elevamenta M   9 Est autem] ab M   9-10 primordialis T -li M *om.* L²LG¹   12 convertuntur T -titur ML²LG¹   12 est TM fit L²LG¹   13 Hec] et M   13 qualitatibus TML proprietatibus G¹   13-14 se invicem] *om.* M   14 naturam] natura T   14 concordi federe] concordie sedem T   15 commiscent] -ntur M   15 frigiditate T frigide ML²LG¹   16 astringitur T con-ML²LG¹   17 sociatur T associatur ML²LG¹   17-8 ignis — copulatur] *om.* M   17 siccus T aridus L²LG¹
3   19 Sed — quod TM sed hoc non videtur causa quare BP²(M¹ *cum errore*) 19 transmutantur] -tentur T   20 propter rarefactionem TM *om.* M¹BP²   20 rarefactio] rarescio P²   20 transmutacio TM causa transmutacionis M¹BP²   21 *post* sed *add.* rarefactio est M¹B   21 materialis TP² naturalis MM¹B   22 Preterea] propterea T   22 secundum Aristotilem] quod Aristotilis M   23 et corruptione TM *om.* M¹BP²   23 *ante* quod *add.* dicit M   24 quolibet] illis M   24 activis et passivis] actionis et passionis P²   24-5 scilicet — sicco T *om.* M¹BP²   25 receptis T repertis MM¹BP² 25 et sic TM *om.* M¹BP²   26 nata] mota M   26 sunt TMP² sic B   26 generari] generata M
4   27 annexum] anexeum L²   27 eo quod L ei quod L² ei qui G¹   32 nunc L² *om.* LG¹   33 in] *om.* G¹

I, 5   Indications des sources et passages parallèles

     5-8 L'opinion du «quidam philosophus» concerne en fait le même mouvement circulaire que celui mentionné en 10-11, mais en sens inverse. *Cf.* Guillaume de Conches, *Dragm.* p. 55 (où les deux éléments inférieurs *subtiliantur, unde in duo superiora transmutantur*).
     9-18 *De imag. mundi* I, 3, col. 121. Pour 12-16, *cf.* aussi Macrobe, *Comm.* I, 6, 25; Isid., *Nat.* XI, 3; Bède, *Nat.* 4, col. 196.
     22-24 Arist., *De gen. et corr.* B 4, 331 a 20-1; 329 b 22-3; *cf.* Albert le Grand, *De gen. et corr.* II, II, 1 *Quecumque enim habent symbolum adinvicem, hoc est convenientiam in altera qualitate* ...; Averroès, *Comm. in De gen. et corr.* 169 va 62 *sqq.*, p. 112.
     29-32 *Cf.* Raoul de Longchamps, *In Anticl.* XI p. 29.

I, 6 cum unum elementorum contrariorum vel elementatorum, ut aqua,
accipiat accidentalem qualitatem, ut caliditatem, quare non ignis
accidentalem frigiditatem

1   *Sexto cum unum etcetera.* Hic ponit sextam questionem: cum aqua
et ignis sint contraria elementa et aqua potest accidentaliter
calefieri, quare ignis non potest accidentaliter frigefieri. Ad hoc
dicit commentator quod aqua non est accidentaliter calida sed
calescens et ita concedit quod ignis potest esse frigescens, quia   5
esse calidum et esse frigidum naturas rerum aspiciunt, frigescens
autem et calescens sunt accidencia rerum.

2   Aliter dicitur quod aqua, que est naturaliter frigida, potest
calefieri, ignis autem, qui est naturaliter calidus, non potest frigefieri. Cuius racio potest esse quia ignis inter omnia elementa maxime   10
habet de specie sive de forma et minime de materia, aqua autem
non sic. Et hac eadem de causa dicitur quod ignis inter omnia
elementa est imputrescibilis et similiter aurum inter omnia metalla.

3   Vel potest aliter dici secundum Averoys quod sicut ignis purus
non potest frigefieri, sic nec aqua pura potest calefieri. Quod autem   15
aqua calefacta non sit aqua pura patet per hoc quod si bene coquatur, apparebunt in fundo quedam corpora parva.

I, 6 **1-3** Le passage, comme il est présenté ici, se trouve dans les mss. TM¹B et avec quelques modifications dans M et P² (voir ci-dessous). Les mss. L²LG¹ donnent la même réponse sous une forme un peu plus courte; dans cette version les arguments **2** et **3** précèdent celui mentionné dans **1**. G² ne contient qu'un brève passage qui présente en deux phrases les arguments **1** et **3**.

1 TM¹BP²M   **2** TM¹BP²(M); à partir de la ligne 13, M est soudain différente: *Unde aqua plus habet de materia et plus est passibilis et ideo potest calefieri*, ce qui correspond à la version de L²LG¹   **3** TM¹BP²; M a une phrase qui correspond à la version de L²LG¹: *Aqua autem que calefit non purum elementum, sed est admixta cum terra quia ratione terrenitatis calefieri potest.*

I, 6 **1** 1 questionem] solucionem M   1 *post* questionem *add.* et est M¹BMP²
2 *alt.* et] quia M   2 accidentaliter] *om.* M   3 *post* ad hoc *add.* est dicendem prout M   4 sed TMP² immo M¹B   5 esse (*bis*) TMP² omne M¹B
6 aspiciunt T respiciunt M¹BMP²   6 rerum] *om.* M
2 8 dicitur quod] *om.* B   9 qui est] *om.* P²   9-10 frigefieri] frigessi B
10 cuius racio TBP² et ideo M   10 potest esse] est BP²   10 quia] quod
MP²   10 maxime] plus M   11 de specie sive] *om.* M   11 minime]
minus M   12 sic] *om.* BP²   12 dicitur TM¹ *om.* B   13 et — metalla]
om. P²   13 similiter TB sic M¹
3 14 aliter] *om.* P²   16 calefacta] calida P²   16 *post* pura *add.* sed
commixta M¹BP²   16 per hoc] *om.* M¹   16-7 coquatur T decoquatur
M¹BP²

I, 6 Indications des sources et passages parallèles

1-3 La même question se trouve dans les *Quaestiones Salernitanae* (version en prose B 301 et C 15) et dans Marius, *De elementis* p. 93-5. *Cf.* aussi Guillaume de Conches, *Dragm.* p. 39-40.

10-12 *Cf.* Michael Scot, *Quest.* p. 265 *nota quod illa elementa que multum habent de forma et parum de materia, non possunt amittere qualitates activas, ut ignis caliditatem*; Robert l'Anglais, *Compilatio* p. 151.

14-15 Averroès? Citation non retrouvée.

I, 7   si zona alia a nostra sit habitabilis, que est habitancium primeva
nativitas, quis accessus quantusque recessus permutatim

1   *Septimo etcetera.* Hic ponit septimam questionem et est an alia
mansio a mansione nostra fuerit habitabilis. Solucio: dicitur quod
due sunt zone habitabiles per naturam. An tamen alia inhabitetur,
ignoratur. Quod autem due sunt habitabiles, ad hoc intelligendum
sciendum quod quinque sunt zone, quarum una est torrida zona   5
que est inhabitabilis propter sui ferventissimum calorem. Et dicitur
quod hec zona est sub circulo equinoxiali et hec media inter quinque
zonas. Due autem zone extreme, ut zona sub polo artico et zona
sub polo antartico, sunt inhabitabiles propter earum excellentem
frigiditatem. Que ideo sunt excellenter frigide quia multum distant   10
a circulo signorum sive a zodiacho in quo decurrit sol. Zone autem
medie inter zonam torridam et zonas extremas sunt habitabiles,
quia sunt temperate. A zona enim torrida recipiunt calorem ad
temperamentum sue frigiditatis et a zonis extremis recipiunt
frigiditatem ad temperamentum sue caliditatis. Et ut volunt teologi,   15
zona temperata versus boream inhabitatur et illa zona temperata
que est versus meridionalem non inhabitatur iuxta illud: 'ab aquilone panditur omne malum'.

2   In illa zona que non inhabitatur, creatus fuit Adam et ita a
progenie eius non inhabitatur nec umquam potest aliquis venire   20
ad illam zonam habitabilem propter torridam zonam interpositam.

3   Ex hiis circulis primus est septentrionalis, secundus solsticialis,
tercius equinoxialis, quartus brumalis, quintus australis nominatur.
Solus solsticialis inhabitari a nobis noscitur. Unde dicitur a
philosophis: 'ab aquilone panditur omne malum', quia humana   25
mansio est in aquilone, ut dicitur. Et alii dicunt quod sic dicitur:
'ab aquilone panditur omne malum', quia diabolus est in illa parte,
ut dicitur. Et hinc est quod evangelium contra boream legitur.

I, 7   **1** BM¹TMP²; L²LG¹, après une phrase introductive un peu plus élaborée (*Si aliqua zona a nostra possit habitari, que primo habitatur; si alia, quis accessus quantusque recessus*), donnent la même explication sous une forme plus restreinte, puis continuent avec **3**. G² n'a qu'une réponse très courte: *Solucio probata philosophica est quod due sunt zone habitabiles. Utrum autem una inhabitetur, ignoratur. Dicunt autem quidam quod habitabilis est per naturam. Dicunt tamen theologi quod nulla per naturam.*   **2**   M   **3**   L² LG¹

I, 7   **1**   2 mansio] *om.* M¹   2 fuerit B sit M¹TMP²   2 Solucio] que primo habitabilis et quis accessus quantusque recessus a nobis M (*cf.* L²LG¹ *in* app. I)   3 habitabiles *rep.* B   3 an] utrum M   3 inhabitetur BM¹P² habitetur TM (*post correctionem*)   4 sunt] sint BP²   4-5 intelligendum sciendum BT intelligendum M¹P² intellige M   5 zona] *om.* M   6 sui] suum P²   6 ferventissimum calorem] fervorem vehementissimum T 7 *post* (*ante*) *alt.* hec *add.* est M¹TMP²   7 quinque] duas MP²   8 *post* zonas *add.* habitabiles P²   8 *post* zona (*bis*) *add.* que est P²   9 earum] eorum M   10 que] quia M *om.* P²   10 excellenter] *om.* P²   13 recipiunt] ac- P²   14-6 recipiunt — temperata] *om.* M¹   15 sue caliditatis BTP² sui caloris M   17-18 non — malum] et hoc est ut dicunt M   18 panditur] pendetur B dependet P²
   3   23 nominatur] nomina L² nominatur sed G¹   24 noscitur L² probatur a philosophis G¹   24-5 a philosophis] *om.* G¹   25 malum] bonum G¹ 27 malum] bonum. malum G¹   27 est] dicitur esse L

I, 7   Indications des sources et passages parallèles
     1 *sqq.* La théorie de la division de la terre en cinq zones, dont deux sont habitables mais une seule réellement habitée, a son origine au IIᵉ siècle et a été adoptée au moyen âge par l'intermédiaire de Macrobe (*Comm. in Somn. Scip.* II, 5, 10 *sqq.*). Elle est très répandue et a été amplement étudiée par A. D. von den Brincken (par exemple *Mappa mundi und Chronographia* ..., dans «Deutsches Archiv für Erforschung des Mittelalters» 24, 1 (1968) p. 118-186; *Ut describeretur universus orbis* ..., dans «Miscellanea Medievalia» 7 (Berlin 1970) p. 249-278).
     2-15 *Cf.* Isid., *Nat.* 10, 1; Bède, *Temp.* 24; Guillaume de Conches, *Phil.* 4, 2 col. 85; *Dragm.* 6 p. 220-1; Michael Scot, *Quest.* p. 317-8; *etc.*
     17-18 *Vulg. Jer.* 1, 14.
     20-21 *Cf.* Bède, *Temp.* 24 (qui cite Pline II 68, 68 § 172).
     22-24 *De imag. mundi* I, 6, col. 122; *cf.* Isid., *Nat.* 10, 1; Bède, *Nat.* 9, col. 203; *Temp.* 24 p. 244.
     25, 27 Voir ci-dessus la ligne 17.

II, 1 zodiaci latitudinem modificative, circulorum qualitatem inspective, colurorum terminos diffinitive tociusque forme quantitatem progressive

1   *Circuli vero.* Hic enumerat questiones accedentes circa speras magis nobis coniunctas et intendit huiusmodi speras adaptare cathedre Cratonis.

2   Et est prima questio si possimus circulos paralellos visu comprehendere in firmamento sicut comprehendimus in spera materiali.   5 Solucio huius est quod non adeo sensibiliter.

3   *Zodiacea.* Zodiacus est magnus circulus qui intersecat equinoctialem et ab eo intersecatur inter partes equales et una eius medietas est declinans versus septentrionalem partem, alia versus australem. Et dicitur zodiacus a zoe quod est vita quia secundum motum   10 planetarum sub illo est vita in istis inferioribus. Vel dicitur a zodiac quod est animal, quia cum ille circulus dividatur in partes XII, quelibet pars admittit nomina a nomine alicuius animalis, et hoc propter aliquam proprietatem contingentem tamquam animali.

4   *Colurorum.* Coluri sunt duo circuli maiores in spera quorum offi-   15 cium est distinguere solstitia et equinoctia. Dicitur autem colurus a colon membrum et videtur quod est cauda bovis, quia sicut cauda bovis erecta facit semicirculum et non circulum perfectum, ita colurus semper patet nobis imperfecte, quia tantum una eius medietas nobis apparet.   20

II, 1 **1** L²LG¹; TM¹MP² ont une autre phrase introductive: *Hic multiplicat questiones predictis consimiles que ascribuntur Cratoni.* **2** L²LG¹G²T M¹MP² (dans B cette question manque entièrement) **3** et **4** sont plutôt des gloses indépendantes qu'une partie intégrale du commentaire; dans G² les deux gloses se trouvent, en compagnie d'une autre sur *celum*, à un endroit séparé du reste du commentaire (dans la marge intérieure du feuillet 157ʳ); la glose sur *zodiacus* dans M¹ ne suit pas à (2). **3** M; G² a une explication de l'étymologie de *zodiacus* tout-à-fait semblable, mais ne contient pas la définition; M¹: *Nota quod zodiacus circulus est circulus signorum et dicitur a zoe quod est vita, quia allacio solis in obliquo circulo, videlicet in zodiaco, est causa generationis et corruptionis in hiis inferioribus secundum Aristotilem vel a zoa quia signa figurantur ad modum alium (lege: animalium) que signa in eo existunt.* **4** M; G² n'a pas la définition, mais donne la même étymologie.

II, 1 **1** 1 accedentes L accidentes L²G¹   2 coniunctas L²L iunctas G¹
2 4 et — questio L²LG¹ hec est questio G² quarum prima est TM¹P² prima harum questionum est M   4 possimus] possumus G¹P²   4 *post* circulos *add.* vel G²M¹P² et M   5 sicut L²LG¹TM¹ prout G²   5 comprehendimus L²LG¹G² comprehenduntur TM¹ possunt comprehendi M   6 adeo sensibiliter L²LG¹ ita sensibiliter G²M est T *om.* M¹ (? P²)
3 11 zodiac M zodias Joh. de Sacro Bosco, *De Spera* (ed. Thorndike) p. 87
4 18 facit] satit M   19 tantum] tamen M

II, 1 Indications des sources et passages parallèles

4-5 *Cf.* Guillaume de Conches, *Phil.* 2, 8, col. 60; Barth. Angl. 8, 7.
7-14 Jean de Sacrobosco, *De spera* II p. 87.
15-20 *id. ibid.* p. 90; *cf.* aussi Guillaume de Conches, *Phil.* 2, 14, col. 61; *Dragm.* 3, p. 96; Thomas de Cantimpré 20, 4, 20-3; Raoul de Longchamps p. 223. Notons que la question du Ps-Boèce a sans doute été inspirée par Martianus Capella VIII p. 432 *sqq.*, où l'on retrouve les termes dont elle est composée (*latitudo* du zodiaque, *qualitas* des cercles, *termini* des colures, *quantitas* du total).

Ad App. I **3** Arist., *De gen. et corr.* B 10, 336 a 32; *cf.* Jean de Sacrobosco, *De spera* II p. 87-8.

II, 2 an stelle fixe suo superiori an suis propriis circulis comeantes ad instar planetarum pervagari discernantur

1 *Secunda an stelle etcetera.* Et est an stelle fixe moveantur motu ipsius firmamenti solum an propriis circulis deferantur ut planete, ita quod cuilibet stelle respondeat propria spera et motus proprius.

5 Ad hoc dicitur quod stelle fixe non appropriant sibi speras nec motus, sed solum planete circulariter in speris propriis motuque proprio contra raptum firmamenti feruntur ut per motum eorum motus firmamenti retardetur, et illorum motus sufficit ad retardacionem motus primi mobilis. Unde si omnes stelle moverentur contra firmamentum, nimis retardaretur motus eius.

II, 2   **1** L²LG¹; M¹BTMP² ont une autre formulation.   **2** L²LG¹; M¹BT
G²MP² donnent la même explication en d'autres mots et introduite par:
*Super hoc distinguit Marcianus duas opiniones. Sanior tamen et melior est
quod planete moventur in suis propriis circulis, stelle autem fixe sunt quia* ...;
M¹BTMP² ajoutent (après l'explication): *Notandum quod planete proprio
motu moventur ab occidente in orientem; raptu enim firmamenti moventur ab
oriente in occidentem.*

II, 2   **1** 1 moveantur L²L moventur G¹
2 4 dicitur L² dicendum LG¹   6 feruntur L²G¹ deferuntur L   8
moverentur L²G¹ moventur L   9 retardaretur L²G¹ retardetur L

II, 2   Indications des sources et passages parallèles

    4-5 *Cf.* Martianus Capella VIII p. 448, 15-8; Macrobe (*Comm.* 1, 17, 16)
et Guillaume de Conches (*Phil.* 2, 7, col. 59-60; *Dragm.* 3 p. 84-88) mentionnent cette opinion, mais la considèrent erronée.
    6-8 Voir sous II, 5 (6-7).

Ad App. I: Mart. Capella ne semble pas mentionner plus d'une seule opinion
sur cette question, contrairement à Macrobe et Guillaume de Conches (*cf.*
ci-dessus). *Notandum quod* ..., voir sous II, 5 (6-7).

II, 3 an comete prodigialiter rubentes circulariter cum ceteris percurrant
an destructive create in suum chaos revertantur nature permissione
naturantis

1   *Tercia an comete.* Et est an comete rubentes in signum alicuius
futuri moveantur circulariter cum ceteris stellis an create ad signan-
dum destruccionem regis vel provincie postea redeant in naturam
propriam ex permissione prime cause.

2   Nota quod de stella comata duplex solet esse opinio. Quidam   5
tamen dicunt quod cometa nichil aliud est quam Mars qui quando
est destruccio supra aliquam regionem, assumit sibi colorem rubeum
et forsitan hoc provenit ex natura vel forsitan deus dedit ei hunc
effectum cum aliis. Et huic opinioni consentit Bernardus dicens:
'Militat ad solem Mars iunctior urbibus altis, sepe super reges   10
prodigiale rubens'.

3   Alii dicunt quod cometa est quedam constellacio tantum in parte
orientali apparens et dicitur cometa quia plures radios emittit
tamquam comas. Quando autem denunciat mortem alicuius principis regionis super quam apparet, acutum et nigerrimum habet   15
colorem et eundem colorem habet quando famem et pestem denunciat. Quando autem bellum vel destruccionem denunciat regionis,
tunc rubeum habet colorem.

4   Opinio enim Aristotilis est quod comete stelle sunt que fiunt per
aerem flameum sive inflamatum et commixtum cum partibus ignis,   20
suppositum directe lumini stellarum radiantium super ipsum.
Et mediante adiutorio luminis solis continuatur aer inflammatus
cum lumine stellarum et sic est lumen oblongum in aere quod
dicitur cometa.

5   Et etiam cometa dicitur stella crinita quia habet duos radios ad   25
modum crinium mulierum et versus quam partem radios suos
extendit, ibi eveniunt que supradicta sunt. Item cometes vel
coneta dicitur. Non enim est stella, sed aer inflammatus ex vicini-
tate ignis et ubi comas suas fundit dicitur significare mutationem
regni vel mortem principis vel pestilencias.   30
Dicit autem Aristotiles quod cometa est stella, signum venti et
terremotus. Et Tholomeus dicit in libro quadripartito quod cometa
designat nimiam siccitatem ventosque calidos, turbam seditiosam,
guerras, bella, homicidia et que ex Martis et Mercurii natura
provenire dicuntur. Ex multa exalatione calidi et sicci generantur 35
diverse passiones hominum et animalium preter naturam per quam

II, 3 **1** LL²G¹; M¹BTMP² ne paraphrasent pas cette question mais disent: *que satis manifesta est in littera.* **2** TM¹BP²; MLL²G¹G² ont un passage très semblable. **3** TM¹BP²MG²; LL²G¹ n'ont de ce passage que la première phrase moins les mots *tantum — apparens.* **4** MLL²G¹ **5** M; pour la première phrase, *cf.* **3**.

II, 3 **1** 3 in LL² ad G¹
2 5 comata M¹B cometa TP²   5 solet] potest B   6 qui] *om.* B   7 *post* destruccio *add.* futura P²   7 supra T super M¹BP²   7 *post* regionem *add.* futuram B   8 *pr.* forsitan] forte P²   8 *post* natura *add.* eius M¹BP² 8 *alt.* forsitan] forte P²   9 cum aliis] *om.* P²   10 iunctior *correxi* iucior LL² micior TM¹BMG¹G²
3 12 *post* constellacio *add.* ad modum disci G²   12 tantum] *om.* P² 12-3 in parte orientali] in oriente M in orientali P²   14 tamquam] quasi M   14 comas] crines G²   14 denunciat] a P²   14 alicuius principis] *inv.* M¹ principis P²   14-5 *post* principis *add.* illius MP²   15 acutum et] *om.* M *post* colorem *transp.* B   16 habet] sumit P²   16 eundem colorem habet] similiter G²P²   16 *alt.* et TM aut M¹B vel G²   17 vel T aut M¹B G²P² et M   17 denunciat] *om.* MG²P²
4 19 opinio M veritas LL²G¹   19 comete MLG¹ comate L²   19 sunt — per M sunt propter L fiunt propter L²G¹   20 flameum sive M *om.* LL²G¹ 21 lumini LL²G¹ lumen M   23 sic est M sic L fit L²G¹
5 27 extendit] exundat M   28 coneta] *lege* crinita?   39 disponunt] -tur M

II, 3 Indications des sources et passages parallèles

4 *prime cause*: cette expression pour désigner la puissance divine ou Dieu est plus répandue que celle utilisée dans la question du Ps-Boèce, *natura naturans.* Sur ce dernier terme, *cf.* O. Weijers, *Contribution à l'histoire des termes «natura naturans» et «natura naturata» jusqu'à Spinoza* dans «Vivarium» 16, 1 (1978) 70-80.

10-11 Bernard Silvestre, *De mundi universitate* I, 3, 149-50 (*ed.* Wrobel p. 19; *ed.* Dronke p. 107).

12 *quedam constellatio*: une opinion qu'on trouve par exemple chez Sénèque et qui est réfutée notamment par Albert le Grand, *Meteor.* I, III, 1.

12-13 *tantum in parte orientali apparens*: *cf.* Bède, *Nat.* 24 col. 244 *cometes numquam in occasura parte celi est*; Barth. Angl. 8, 32 p. 417.

14-18 *Cf.* Anonymus 1238 ch. 5 p. 30; Ps-Ptol. Erfurt p. 37, 29.

19-24 *Cf.* Arist., *Meteor.* A 7, 344 a 16-23; *id. Meteor. lat.* 204-7 p. 74, 12-5. *Cf.* Robert Grosseteste, *De cometis* p. 40-1 (*ista opinio falsificatur!*).

28-29 Voir ci-dessus 19-24.

29-30 Voir ci-dessous 38-41.

31-32 *Cf.* Arist., *Meteor.* A 7, 344 b 27; Guillaume de Conches, *Dragm.* p. 195.

32-35 Ptolémée, *Quadrip.* II, 11, II, 13 et II, 14; *cf.* Anonymus 1238 p. 29-30.

35-38 *Cf.* Ptolémée, *Quadrip.* II, 9; Robert Grosseteste, *De cometis* p. 40: gloses sur Bède, *Nat.* 24 col. 243.

disponuntur ad corruptionem, ut puta ad iram, indignationem, elationem, audaciam et appetitum supergressionis; que omnia disponunt ad lites, contentiones, seditiones, bella, mortem hominum et maxime principum. Et ideo dicitur stella cometa ex predicta 40 exalacione significare regni inclinationem sive mutationem, terre sterilitatem, defectum nascentium quantum ad corporee virtutis potentiam et alia, ut predictum est.

6   De ortu eius duplex est opinio. Dicunt enim quidam quod creata fuit simul cum aliis stellis, sed quando talia futura sunt, tunc 45 apparet comata.

7   Alii dicunt de ipsa sicut de stella que apparuit in nativitate Christi, quod quando est nunciandum aliquod novum futurum, tunc creatur a deo; ipso autem nunciato, tunc redigitur in naturam priorem. Quod autem hoc sit verum, patet per hoc quod cometa 50 apparet extra zodiacum. Mars autem et ceteri planete sunt sub zodiaco.

8   De numero earum sciendum secundum Tholomeum quod ad minus sunt triginta tres. Dicit enim Haly in commento Tholomei quod Tholomeus posuit novem cometas. Quorum nomina hec sunt: 55 veru, tenaculum, pertica, miles, dominus aschone, machuta sive aurora, argentum, rosa, nigra. Militem dicit esse de complexione Veneris, dominum asconem dicit esse de complexione Mercurii, mucutta⟨m⟩de complexione Martis, argentum Iovis, rosam nigram Saturni. Et preter has posuit Tholomeus secundum Haly 23 cometas. 60

9   Secundum tamen Aristotilem non sunt nisi quinque, quia sol non facit cometam eo quod communis est omnibus planetis. Stelle autem fixe non faciunt cometas propter distanciam earum a spera aeris. Luna autem non facit cometam quia non habet proprium lumen de se sed a sole, iuxta illud: 'A Phebo Phebe' etcetera. 65

6 TM¹BP²G² **7** TM¹BP²G²LL²G¹ **8** M¹BP²; TLL²G¹ n'ont que la première partie de ce passage (jusqu'à *Quorum nomina*). **9** TM¹BP²LL² G¹; M mentionne (après **4**) que la lune ne fait pas de comète.

---

6 44 eius] huius comete P² 44 creata] causata T 45 simul TM¹ *om.* BG²P² 45 tunc] *om.* G² 46 *post* comata *add.* et aliter non G² **7** 48 Christi] *om.* G² 48 quando TP² cum M¹BG²LL²G¹ 48 futurum] *om.* L 49 tunc — deo] creatur L 49 creatur] causatur T creatum est P² 49 tunc TM¹BP² *om.* G²LL²G¹ 50 patet] apparet G² 50 per hoc] *om.* P² 51-2 Mars — zodiaco TLL²G¹ et ita videtur quod cometa non sit Mars M¹B *post* zodiaco *add.* *eadem verba* G²P² *add.* et sic videtur quod cometa non sit Mars nec aliqua alia stella de natura earum L²LG¹ 51 ceteri planete TLL²G¹ cetera signa G² **8** 53 sciendum] *om.* P² 53 quod] *om.* P² 54 Haly] Aristotiles P² 55 Quorum] quarum B 56 tenaculum *correxi* senaculum M¹B *om.* P² 56 pertica BP² parthica M¹ 56 dominus aschone M¹ dominumascone B desone P² 56 machuta M¹ matutina P² matuita B 58 dominum asconem B dumachone M¹ *non liquet* P² 59 macutta<m> M¹ matutinam P² matuitam B 59 *post* macutta<m> *add.* dicit esse BP² 59 *post* argentum *add.* dicit esse de complexione P² 59 rosam nigram M¹BP² *lege* rosam et nigram ? **9** 62 eo quod] quia M¹BP² 62 *post* planetis *add.* facientibus cometas M¹ facientibus cometas et est adiutorium eis BP² (*qui legit* planetas!) 62-3 stelle — cometas] *om.* M¹ 63 fixe BLL²G¹P² *om.* T 63 distanciam] -cias L 63 earum TM¹G¹ eorum B ipsarum L²P² 63 spera] speri T 65 iuxta — etcetera] *om.* M¹BP² 65 *post* Phebe *add.* lumen LL²

38-40 Voir ci-dessus 32-5. Pour la mort des princes, *cf.* Ps-Ptol., *Centiloquium* 100.

41 *regni inclinationem sive mutationem*: *cf.* Ps-Ptol., *Centiloquium* 100; Anonymus 1238 ch. 5 p. 31; Isid., *Nat.* 26, 13.

44-46 *Cf.* Arist., *Meteor.* A 7, 344 a 33-b 6; *id. Meteor. lat.* 170-3 (p. 70, 17-20).

47-50 *Cf.* Gilles de Lessines, p. 120, qui rapporte que telle est la position de Jean Damascène. Barthélemy l'Anglais, 8, 32 p. 417, diffère d'opinion en ce qui concerne l'étoile qui annonçait la Nativité.

50-52 *Cf.* Arist., *Meteor.* A 6, 343 a 23-5; *id., Meteor. lat.* 189-192 (p. 172, 20-23); Guillaume de Conches, *Phil.* 3, 13, col. 80 A; *Dragm.* p. 191-2; Gilles de Lessines p. 107 (qui suit Aristote).

53-55 *triginta tres*: nombre mystérieux. *novem*: Cette théorie, attribuée ici à Ptolémée par l'intermédiaire de Haly (Haly ibn Ridwan, *cf.* Thorndike, *Latin Treatises* ... p. V), n'est pas de Ptolémée lui-même (*cf. id. ibid.* p. 10, 12); *cf.* Ps-Ptol. Erfurt p. 36, 29 sqq.; Anonymus 1238 p. 24.

55-60 *Cf.* Ps-Ptol. Erfurt p. 36, 29-39; Anonymus 1238 p. 40 *sqq.*; Gilles de Lessines p. 124. A noter que *rosam nigram* (54) représente deux comètes (*cf.* 51). Peut-être faut-il lire *rosam et nigram*.

60 *Cf.* Ps-Ptol. Erfurt p. 36, 28-9.

61 *Cf.* Arist., *Meteor. lat.* 195-6 (p. 74, 1-2); Albert le Grand, *Meteor.* 1, 10 p. 506. Gilles de Lessines nie qu'Aristote distinguait cinq types de comètes (*cf.* Thorndike, *Latin Treatises* ... p. 73-4).

65 *A Phebo Phebe*: Alain de Lille, *Liber Parabolarum* 1 (P.L. 210, 581; *cf.* Walther, Initia n° 71).

II, 4 an inferioris nature complexionata virtutem sive eclipsim contrahant ex planetis aut ex primis generantibus. Si ex planetis, aut
secundum nativitatem aut secundum eventum. Si ex generantibus,
cum unum generancium album, reliquum nigrum, quare generatum
non album et nigrum et quare generatum in extremitatibus quandoque assimilatur patri, in ceteris autem parturienti, quandoque neutri
generancium.

1   *Quarto an inferioris.* Hic ponit quartam questionem et est an
homines et cetera animalia virtutem et defectum contrahant ex
planetis an ex generantibus, scilicet patre et matre.

2   Super hoc est opinio duplex, scilicet phisica et philosophica.
Dicunt enim phisici quod fetus ex semine ex quo concipitur, virtu-   5
tem contrahit. Si enim semen fuerit colericum, et fetus erit colericus;
si fleumaticum, et fetus fleumaticus, et ita de aliis humoribus.

3   Philosophi autem dicunt quod talia animancia effectum contra-
hunt ex planetis. Unde dicunt quod si quis natus fuerit Iove
existente in suo domicilio, benivolus erit, quia naturam illius planete   10
contrahit. Iuppiter vero calidus et humidus est, unde inducit
fertilitatem in terra. Unde Lucanus: 'Sub Iove temperies et numquam turbidus aer'. Si autem aliquis natus fuerit sub malicioso
planeta, malivolus erit. Quod autem hoc ita sit probant per lunam
que habet tantum effectum in hiis inferioribus quod secundum   15
crementum et decrementum eius crescunt et decrescunt animancia
et inanimancia. Unde Lucanus: 'luna suis vicibus Thetim terrenaque
miscet'.

4   Phisici autem non negant planetas habere qualemcumque effectum in hiis inferioribus, set non ut terrena omnem effectum sive   20
virtutem contrahant ex eis. Et hoc sic nituntur probare. Omne
corpus animatum est conplexionatum, set corpus pueri nunc nati
est animatum puero existente vivo, et ita conplexionatum, et ita
vel melancolicum vel sanguineum et huiusmodi. Et ita videtur
falsum quod pueri in nativitate sua ex planetis contrahant com-   25
plexionem.

5   *Si ex planetis.* Multiplicat dictam questionem per questiones
speciales et primo subdividit primum membrum dicte questionis
dicens quod si ex planetis sit complexio diversa, tunc queritur an
hoc sit secundum naturam (*lege* materiam?) aut eventum, hoc est   30
an hoc sit secundum primam nativitatem, scilicet quando fetus
primo concipitur an quando puer prodit ex utero.

II, 4   **1** M¹BTP²M; LL²G¹ ont une phrase introductive semblable.   **2** M¹BP²
TLG²; M donne cette réponse dans le contexte du passage numéroté **5** et en
tire la conclusion des *philosophi* (**8**).   **3** M¹BP²TLG²; M a un passage
semblable, mais ne cite pas Lucain.   **4** M¹BP²TLG²; M¹BP²L ajoutent
une phrase: *Plura super hoc possent obici que disputationi philosophice
(phisice) sunt relinquenda*; L²LG¹M donnent en d'autres mots un argument
comparable: *Et intellige quod huiusmodi planete non faciunt necessitatem in
istis inferioribus ut sint aliqui virtuosi vel viciosi, sed secundum quod per hoc in
hiis inferioribus maior est habilitacio.*   **5** M¹BP²TL

II, 4   **1**   2 ex] a P² (*bis*)   3 *post* scilicet *add.* ex BM a P²
2   4 Super — philosophica] *om.* G²   4 scilicet] *om.* M¹   4 phisica et
philosophica] *inv.* L   5 *alt.* ex] *om.* BLG²   5-6 *post* virtutem *add.* et
effectum G²   6 contrahit] -hat T trahit L   6-7 et fetus — fleumaticus]
om. T   7 *post* fetus *add.* erit L   7 fleumaticus] similiter si melancolicum
et fetus melancolicus G²
3   8 talia] *om.* T   8 *ante* effectum *add.* virtutem et G²   9 ex] a P²
9 dicunt] contingit G² *om.* P²   9 quis] aliquis G²P²   10 domicilio]
dominio L   10 *post* domicilio *add.* nisi aliquis planeta malivolus sit in suo
G²   11 contrahit] -het LG²   13 turbidus] turpidus M¹   13 Si autem]
similiter si P²   13 aliquis] *om.* T   13 malicioso] malivolo TG²   14
malivolus] maliciosus BL   14 Quod — sit] quod sic B et quod L et quod
sic sit P²   15 tantum] talem L   16 et decrescunt] *om.* B   17 *post*
inanimancia *add.* similiter G²   17 vicibus T viribus *omnes alii*   18
miscet BTG² miscit M¹L   18 *post* miscet *add.* et alibi: Thetios unda vage
lunaribus estuat horis G² (Luc. I, 414 aestuet)
4   20 inferioribus] terrenis G²   20 ut terrena] est ut fomenta terrena L
20 omnem] *om.* L   20-1 effectum sive virtutem M¹TP² (deff-) *inv.* BLG²
21 ex] ab B   22 nunc] nondum G²   23 *post* est *add.* corpus BP²   23
et ita complexionatum] *om.* T ergo et complexionatum LP²   24 melancolicum vel sanguineum] *inv.* P²   25 falsum] *om.* G²   25 pueri] puer B
25 contrahant] -hat B non contrahant G²   25 *ante* complexionem *add.*
virtutem sive B
5   28 dicte] *om.* B   29 sit] fit B *om.* L   29 tunc] *om.* P²   30 hoc sit]
om. P²   30 aut M¹ an B an secundum T aut secundum LP²   30 *alt.*
hoc] *om.* T   32 an quando] aut quando T scilicet antequam P²   32
prodit M¹L proditur P² procedit T producitur B

II, 4   Indications des sources et passages parallèles

5-6   *Cf.* Ps-Albert le Grand, *De secretis mulierum* p. 37 *quia postquam
semen est decisum, gerit in se vim illius a quo est decisum.* La théorie se retrouve par exemple chez Gilles de Rome, dans son traité *De formatione
corporis humani in utero.*

8-9   La théorie de l'influence des planètes sur les êtres est très répandue.
Cf. entre autres Urso, *Aphor.* Glos. 32 p. 63-4; Abu Ma'shar, *Introductorium
maius* (voir Lemay, *Abu Ma'shar and Latin Aristotelianism*, Beirut 1962);
Barth. Angl. 8, 22 p. 397; Ps-Albert le Grand, *De secretis mulierum* p. 53 *sqq.*

12-13   Lucain X, 207.

14-17   Voir sous II, 9 (14-16).

17-18   Lucain X, 204.

6   Sciendum enim quod triplex est nativitas: prima concepcionis, secunda prodicionis ex utero, tercia regeneracionis in Christo de qua dicit dominus Nichodemo: 'nisi quis renatus fuerit denuo' etcetera.   35

7   Quare autem appellat hic eventum prodicionem ex utero, patet per exposicionem litere.

8   Quod autem hoc contingat secundum primam nativitatem, volunt multi philosophi. Theologi autem dicunt quod hereticum est talia predicare et ideo non sunt opiniones provulgande sed cum   40 silencio pertranseunde, ut dicit commentator.

9   Et videtur quod contrahant virtutes et vicia ex planetis. Et ad huius evidenciam nota quod septem sunt climata secundum septenarium numerum planetarum. Primum clima est Natalicea regio, terra orientalis, in quo dominatur Saturnus malivolus. Unde   45 illius regionis homines ceteris sunt imprudenciores et ad aliena capienda faciles. Secundum clima est Egyptus in quo dominatur Iubiter benivolus. Unde terra illa omni fertilitate dotata est sine tonitrus impetu sine tempestate sine pluviarum inundacione perseverans. Tercium clima est regio Siriorum, terra promissionis,   50 in quo dominatur malivolus Mars. Unde ibidem erant prelia ab inicio mundi prout legitur in veteri testamento. Quartum clima est mare mediterraneum in quo sunt insule marine, maxima pars Grecie. Et in illo climate dominatur Sol, fons tocius caloris qui recte fonti tocius humoris opponitur. Quintum clima est regio Romano-   55 rum deliciis affluens in quo dominatur Venus benivola, ubi scilicet reliquid iura sue iurisdiccionis. Sextum clima est regio Burgundiorum et Francorum in quo dominatur Mercurius, convertibilis nature. Unde homines illius regionis sunt facundi, garuli, divites, avaricie filii, parcitate fungentes et ad quamlibet artem satis   60 convertibiles. Septimum clima est Flandrensium et Anglorum in quo dominatur Luna. Unde homines illius regionis sunt vagi et instabiles ludibrio expositi, nunc ad summum, nunc ad imum delati, a suo planeta girivago non possunt discrepare.

10   *Si ex generantibus.* Subdividit secundum membrum dicte ques-   65 tionis dicens quod si ex generantibus causetur complexio diversa, cum unum generancium sit album et reliquum nigrum, quare non est generatum album et nigrum et quare generatum, ut frequentius, assimulatur in extremitatibus patri et in ceteris matri, quandoque tamen neutri assimulatur.   70

6 M¹BP²TLG²   **7** M¹BP²TL; G² explique: … *et bene appellatur sic quia quandoque tardius quandoque citius prodit puer et ita quasi secundum eventum provenit nativitas talis.*   **8** M¹BP²TLG²; LL²G¹ ont un passage comparable.   **9** L²LG¹M   **10** M¹BTL; L²G¹ ont une phrase qui introduit la seconde partie de la question, avant le passage numéroté **9**.

---

6   33 Sciendum enim] nota secundum commentatorem G²   34 prodici-onis ex utero] productionis L   34 in Christo] *om.* P²   35 dicit dominus M¹BT habetur de G² dicit L   35 Nichodemo] -mus L²   35 *post* Nicho-demo *add.* cum dictum est a dominio G²   35 renatus BT natus M¹LG² 35 denuo] ex aqua P²   35 *post* etcetera *add.* ex aqua et spiritu sancto non introibit regnum celorum G²
7   36 appellat M¹ appellant BTL   36 hic] *om.* T   37 per exposicionem M¹ in exposicione BTLP²
8   38 contingat M¹BG² contingit T convenit L   39 philosophi M¹TG² phisici BL   40 *post* opiniones *add.* eorum G²   40 provulgande M¹T pervulgande B promulgande LG²   40-1 sed — pertranseunde] *om.* L 40 cum] sub G² cito sub P²   41 pertranseunde M¹BT pretereunde G²P²
9   42-3 Et — evidenciam] *om.* L   42 ex L²M a G¹   43 nota notandum M   43 septem G¹M *om.* L²L   44 Natalicea L² valetea L nabatea G¹M 45 *post* regio *add.* scilicet M   45 quo] qua M   46 *post* regionis *add.* terre M   47 capienda L²G¹ cupienda L rapienda M   47 quo] qua M   48 benivolus] quia Iubiter est benivolus M   48 omni L²G¹ cum M *om.* L 49-50 sine tempestate — perseverans] *om.* M   50 *post* Siriorum *add.* vel Assiriorum M   51 quo] qua M   51 ibidem] ibi M   54 *post* et *add.* ibi M   54-5 qui — opponitur] *om.* M   56 ubi] unde M   57 iurisdic-cionis] iudicionis M   57-8 Burgundiorum L²G¹ -dorum LM   58 in — Mercurius LM *om.* L²G¹   58 quo L qua M   60 filii G¹M filie L² *om.* L 61 convertibiles] comitibiles L   61 clima] *om.* L   61 *ante* (*post*) Flan-drensium *add.* regio G¹M   62 quo] qua M   63 ludibrio exposití] *om.* M 64 suo] sua L²   64 girivago — discrepare] *om.* M   64 discrepare L²L -ri G¹
10   65 subdividit] subdidit L   65-6 questionis M¹L dictionis BT   66 causetur] consequitur L   68 ut frequentius] *om.* T   70 tamen M¹B *om.* TL

---

35 *Vulg. Joan.* 3, 3; 3, 5.

43-64 La théorie des climats connaît deux versions; l'une compte sept climats (par exemple Isidore, *Etym.* 3, 42, 4; Hermannus Contractus, *De util. astrol.* 1, 19, col. 403-4; Jean de Sacrobosco, *De spera* p. 110-1), l'autre huit climats (selon Ptolémée, *cf.* entre autres Martianus Capella VIII p. 462-3; Bède, *Nat.* 47, col. 265 *sqq.*). L'attribution d'une influence planétaire à chacun des sept climats était une idée assez répandue et peut provenir de Serapion d'Antioche (*cf.* Honigmann p. 47 *sqq.*). On la retrouve notamment chez Abu Ma'shar (*cf.* Honigmann p. 142) et Alcabitius (Abd al Aziz ibn Othman ou al-Kabisi), *Liber Isagogicus*, mais ces auteurs ne décrivent pas l'influence des planètes sur le caractère des habitants des *climata*. Firmicus Maternus (Mathesis I, 2) discute de l'influence des planètes sur les peuples, mais il ne parle pas des *climata*. Jean d'Eschenden (Johannes Eschuid) dans sa *Summa astronomiae judicialis* I, 8, 1 cite un passage presque identique à notre texte qu'il dit avoir trouvé dans le «livre d'un auteur dont le nom est inconnu». Il peut s'agir de notre commentaire sur les «Questions de Craton».

66-70 Le sujet est traité par Aristote, *De gener. anim.* 767 b *sqq.* La

11   Phisici autem hanc questionem solvunt dicentes quod sperma muliebre et virile ex quibus concipitur puer, quandoque ita se habent quod unum in alio totum includitur. Et tunc fetus assimulatur ei cuius semen includit aliud. Quandoque contingit quod decisa est materia et tunc secundum partes extrinsecas assimulabitur 75 illis quorum partes extiterunt. Quandoque autem neutri generancium assimulatur generatum quia semen conceptum est adaptabilis nature, ita quod si mulier tempore concepcionis vehementer moveatur in comprehensione forme virilis secum concumbentis, tota materia ad modum forme cedit comprehense et si alterius rei 80 formam comprehendit, ad eius qualitatem adducetur.

12   Unde legitur de quodam viro habente cortinam circa lectum in qua ymago diaboli protracta erat. Mulier autem tempore concepcionis ad formam illius ymaginis respexit eam comprehendendo et in tali comprehensione semen decisum erat. Unde contigit quod fetus 85 diabolo assimulabatur.

13   Eodem modo contingit de brutis animalibus quod si quis virgam variam in tempore concepcionis coram eis tenuerit, fetus varius erit.

11 M¹BTLG²; L²G¹M ont un passage très semblable, mais dans lequel manque la phrase *Quandoque — extiterunt.* **12** M¹BTLG²; G² ajoute: *Tandem post tales plures fetus percepta est causa et ymago remota et fetus postmodum creati ad formam virilem accesserunt;* L²G¹M présentent le même exemple dans une phrase plus brève. **13** M¹BTLG²; G² ajoute: *sicut legitur de Iacob et de angnis variis. Qualiter autem ex sola meditacione mulieris decidatur materia, dicere recusabo quoniam melius est omnino selere (lege: silere) quam temere diffinire.*

---

11 71 Phisici M¹BT philosophi LG² 71 solvunt] solunt M¹ 71 sperma] semen G² 72 muliebre et virile] *inv.* TLG² 73 habent quod unum] habet unum quod L 73-4 assimulatur] -bitur G² 74 includit] -sit G² 74 contingit] contigit B 75 *post* extrinsecas *add.* ex tunc M¹ 75 assimulabitur] -latur L 76 *post* partes *add.* ibi L 76-7 generancium — generatum] *om.* G² 77 quia] quod T 77 adaptabilis M¹T applicabilis BLG² 79 comprehensione] -nem M¹ 79 concumbentis] dec- G² 80 modum] naturam G² 80 cedit] sedet BL 80-1 et si — adducetur] *om.* G²
12 82 unde] ut G² 82 viro] *om.* G² 84 illius] illam G² 84 respexit] respiciebat T 84-5 eam — erat] unde decisa est materia G² 85 Unde — quod] et G² 85 contigit] convenit T 85 fetus] semen B 86 assimulabatur] -latur G²
13 87 Eodem] eo T et B 87 contingit] contigit B 87 virgam M¹ virgulam BTLG² 88 *post* concepcionis *add.* illorum BTG² eorum L 88 erit] erat M¹

---

question se retrouve dans les *Questiones Salernitane* B 175: le ms. B.N. lat. 18081 parle du même problème (si l'un des parents est blanc et l'autre noir). *Cf.* aussi Michael Scot, *De secretis naturae* p. 218-9.

71-74 Ceci correspond à la théorie de Galien, *De semine* 2 p. 169, critiquée par Aristote (*De gen. anim.* 768 a 1 sqq.). Cf. Michael Scot, *loc. cit.* et *Quest. Salern.* B 175.

78-81 *Cf.* Michael Scot, *loc. cit.: Verum est quod si mulier sit iuvenis, cum in coitu sit memor sui vel viri vel alterius et proprie diffundit generativum, genitus erit omnino similis.*

82-86 *Cf. Quest. Salern.* B 46.

87-88 *Cf. Quest. Salern.* P 34.

II, 5 que proporcio motus ad motum per planetas et connexio eorundem

1   *Quinto que proporcio.* Hic ponit quintam questionem et est que
fuit proporcio motuum planetarum inter se et que fuit connexio
eorum. Solucio huius patet per Marcianum ubi distinguitur quantum
spacium quilibet planeta in curso suo accipiat.

2   Ad cuius intelligenciam sciendum quod septem sunt planete qui   5
dicuntur erratici. Singulis circulis contra mundum feruntur et in-
mensa celeritate firmamenti ab oriente in occidentem raptantur.
Quorum luna est primus planetarum et minima stellarum, sed ideo
maior ceteris videtur quia proximior terre in primo circulo fertur.
Huius corpus est globosum et natura igneum sed aqua permixtum.   10
Unde et proprium lumen non habet sed in modum speculi a sole
illuminatur. Et ideo luna quasi lucina, id est a luce nata, nominatur.
Quod autem in ea quasi nubecula videtur, ex aque natura creditur.
Dicitur enim quod si aqua permixta non esset, terram ut sol illuminaret, immo ob vicinitatem maximo ardore vastaret. Globus namque   15
eius multo terra est amplior, licet ob altitudinem circuli videatur
vix modii fundo maior. Luna ea parte lucet qua soli est opposita.
Ea autem parte est obscura qua a sole est aversa. A sole vero
longius remota lucet tota. Non enim crescit neque minoratur sed
obiectu terre lumine quod a sole recipit, viduatur. Hec licet cotidie   20
violencia firmamenti ab oriente in occidentem feratur, tamen contra
mundum nitens omnia zodiaci signa XXVII diebus pervagatur,
ciclum vel circulum autem suum XVIII annis perambulare firmatur.
    Secundus planeta est Mercurius natura igneus, lunam magnitu-
dine vincens, lumen a sole accipiens, signiferum CCCXXXIX diebus   25
percurrens. Tercius planeta est Venus igneus contra mundum nitens,
ut Mercurius signiferum percurrens CCCXLVIII diebus.
    Quartus est Sol, inde dictus quia solus luceat, magnitudine terram
occies vincens, contra mundum nitens, per totum zodiacum
CCCLXV diebus graditur, circulum autem suum XXVIII annis   30
perambulare traditur. Quintus est Mars qui igne fervidus signiferum
percurrit duobus annis. Sextus est Iupiter temperatus zodiacum
peragrans XII annis.
    Septimus est Saturnus gelidus signiferum XXX annis percurrens.
Qui ymaginem de ere fuderit in ortu Saturni, loqui ut hominem   35
probabit. Et sic patet intentum, quia que est proporcio numeri ad
numerum, eadem est proporcio motus ad motum et eorum connexio
secundum ordinem prenotatum et secundum hunc versum: Cyncia
Mercurius Venus et Sol Mars Iove Saturnus. Talem ordinem tenent
in celo qualem habent in versu.   40

II, 5   **1** BM¹L; T ne contient que la première phrase, P²G² la dernière; L²G¹M ont une introduction pareille, mais remplacent *ubi — accipiat* par *in astrologia sua* (P²G² ont les deux).   **2** G¹LL²M

II, 5   **1** 1 et est] *om.* L   2 connexio] complexio M¹   3 distinguitur] -guit L 4 quilibet B quisque L *om.* M¹   4 accipiat] occupat M¹   **2** 5 sunt] *om.* L²   6 singulis — feruntur *post* raptantur *transp.* M   6-7 inmensa] nimia L   7 occidentem LM -dens G¹   8 *post* quorum *add.* planetarum M primus est luna L luna est primus L²   8 planetarum — stellarum] et est minor aliis M   8 ideo] tamen M   9 maior] maius M 9 ceteris] *om.* M   9 proximior] propinquior M   9 *post* terre *add.* est et M   10 Huius] cuius M   10 et G¹ *om.* LL²M   10 igneum] ignea M 13 nubecula] umbecula G¹   13 aque G¹L aquea L² aqua M   13 natura] vero M   14 quod G¹M *om.* LL²   14 *post* permixta *add.* luna M   14-5 illuminaret G¹ illustraret LL² illustraret vel illuminaret M   15 immo] et M   15-6 maximo — altitudinem] *om.* L²   15 Globus LM] glebus G¹ 16 *post* est *add.* maior et L   16 *post* (*ante*) circuli *add.* sui LL²M   17 modii fundo LM (L²?) medii funde? G¹   17 *post* maior *add.* et nota quod M 17 lucet] luciat G¹ (*lege* luceat?)   17 soli est opposita] sole enim (?) est adverso M   18-9 A sole — tota] *om.* M   19 remota] sereniora G¹   19 minoratur] decrescit M   22 mundum] -di G¹   22 XXVII G¹ septemdecim M XXVIII LL²   22 *post* pervagatur *add.* vel peragratur M   23 ciclum vel] *om.* M   23 XVIII] novemdecim M   23 firmatur G¹ affirmatur LL²M   24 Mercurius] virtuosus M   28 *post* quartus *add.* planeta M   28 inde dictus] *om.* M   29 nitens] mitens G¹   30 CCCLXV *correxi* 345 G¹LL² 47 M   30 diebus] *om.* G¹   30 *post* graditur *add.* et hoc est per annum M   30 annis] per ... annos M   31 traditur G¹L² creditur LM   31 *post* quintus *add.* planeta M   31 qui] *om.* L   32 *post* sextus *add.* planeta M   32 temperatus] qui M   33 peragrans] percurrit M   34 *post* septimus *add.* planeta M   35 de ere *post* Saturni *transp.* L 35 fuderit G¹ fudit L²M fundit L   35 *post* fuderit *add.* qualibet hora M 36 probabit G¹L² (M?) appropriabit L   36 intentum] intentio M   37 motus ad motum] *om.* M   38 prenotatum] prenominatum M   38 et secundum] patet etiam per M   40 in celo] sub firmamento M   40 versu] hunc versum G¹

II, 5   Indications des sources et passages parallèles

     3-4   Martianus Capella VIII p. 450 *sqq.*

     5-23   *De imagine mundi* 1, 68-70, col. 138. Evidemment, ce texte est à son tour basé sur d'autres auteurs, dont Martianus Capella, Isidore (*Nat.* 23, 1-3), Macrobe (*Comm.* 1, 14-19).

     6-7   *Cf.* aussi Bède, *Nat.* 12, col. 209; Guillaume de Conches, *Phil.* 2, 25, col. 66; *Dragm.* p. 112-3; Jean de Sacrobosco, *De spera* 1 p. 79; Barth. Angl. 8, 22 p. 396.

     17-20   *Cf.* aussi Bède, *Nat.* 20, col. 238-40; Guillaume de Conches, *Phil.* 2, 31-2, col. 73-4.

     24-36   *De imagine mundi* 70-6, col. 138-9 (Seuls des passages brefs ont été repris).

     28   *Cf.* Isid., *Etym.* 3, 71, 1 *sol appellatur eo quod solus appareat*; Barth. Angl. 8, 28 p. 405 *sol secundum Isidorum quasi solus lucens dicitur*.

II, 6 cum Saturnus inter planetas sevissimus Venusque benignissimus sit, an malignitas unius retardet bonitatem alterius ex opposito venientis

1 Hic ponit sextam questionem et est cum Saturnus inter omnes planetas sit sevissimus et Venus benignissimus, an malignitas unius retardet bonitatem alterius ex opposito venientis.

2 Ad hoc notandum quod planetarum quidam quandoque sunt stacionarii, quandoque retrogradi, quandoque processivi. Unde, 5 ut dicitur, Saturnus quandoque est retrogradus ob benignitatem Veneris. Unde Ovidius: 'quem creat alma Venus, fit corde, fit ore serenus'.

3 Et ad hoc plenius intelligendum nota quod Saturnus dicitur planeta malivolus, quia est frigidus et siccus, tristis, piger, infecunda 10 stella, senex. Frigidus et siccus, quia omnis nix et grando et tempestas adveniens nostro emisperio a Saturno provenit. Vel dicitur tristis, quia tristiciam inducit si fuerit in suo domicilio sole existente in aquario, nisi fuerit temperatus per planetam benivolum. Unde Lucanus in primo: 'Summo si frigida celo stella nocens nigros 15 Saturni accenderet ignes deucaleonias fudisset aquarius imbres'. Piger dicitur quia tarde complet cursum suum et quia omnis segnicies que dominatur in corpore humano a Saturno provenit. Infecunda stella dicitur quia iste planeta existens in singulis solsticialibus, in cancro et in illis que sunt vicina cancro, inducit 20 sterilitatem et famem per septem annos, nisi fuerit temperatus. Et hoc ideo quia per septem annos moratur in istis signis, scilicet geminis, cancro et leone. Unde si quis sciret quando iste planeta esset iuxta cancrum et non esset temperatus, posset providere sterilitatem. 25

4 Senex dicitur quia est frigidus et siccus et talis complexio habundat in sene. Venus dicitur planeta benignus quia est calidus et humidus.

II, 6   **1** BM¹MTG¹LL²   **2** BM¹P²TLG²; L²G¹M ont un passage semblable dans lequel manque la dernière phrase (*Unde — serenus*).   **3** BM¹TLG²; M n'en a qu'une phrase, à savoir celle qui attribue la neige, la grêle et les tempêtes à Saturne.   **4** BM¹TL

II, 6   **1** 1-2 inter omnes planetas] planetarum L²G¹M inter omnes M¹   2 *post* Venus *add.* inter omnes M¹TL   2 an] utrum L²G¹M   3 ex opposito venientis] an econverso L²G¹M
2 4 notandum] nota L   5 *post* stacionarii *add.* quidam L   5 *post* retrogradi *add.* propter violenciam alterius planete oppositi LG² (L²G¹M) 6 ut dicitur] *om.* G²P²   7 *pr.* fit TLG² sit BM¹ *om.* P²   7 corde] sorde BM¹L   7 *alt.* fit] sit M¹
3 9 dicitur] *om.* L   11 senex] *om.* T   12 provenit] evenit M¹   12 Vel B *om.* M¹TLG¹   12 dicitur] *om.* M¹   13 *post* domicilio *add.* scilicet diluvium LG²   13-6 Unde — imbres] *om.* T   15 frigida M¹LG² -do B 16 accenderet *correxi* -derit B -det M¹G² -dat L   16 imbres *correxi* ignes *omnes mss.*   17 complet] facit G²   18 a] ex T   19 dicitur] *om.* M¹ 20 *post* solsticialibus *add.* ut LG²   21 famem] flumen L   22 ideo] *om.* M¹   24 providere B pre- M¹LG² previduare T
4 26 *ante* senex *add.* similiter (?) Saturnus T   27 benignus B -nissimus M¹TL

II, 6   Indications des sources et passages parallèles

1-3   Une réponse affirmative générale est trouvée chez Barthélemy l'Anglais 8, 22 p. 400 (le passage a été cité dans Ps-Boèce p. 151); une réponse affirmative qui s'applique à Vénus et Mars, est donnée par Guillaume de Conches, *Comm. in Macrob.* (traduction de Peter Dronke, *Fabula* p. 29, d'après le ms. Bamberg, Staatl. Bibl. Class. 40 (H.J. IV. 21) f° 7vb).
4-5   *Cf.* Raoul de Longchamps, *In Anticl.* p. 225 (*progressivus, stationarius, retrogradus*); Jean de Sacrobosco, *De spera* IV p. 115 (*directus, stationarius, retrogradus*); Barth. Angl. 8, 22 p. 399 (*idem*); Guillaume de Conches, *Dragm.* p. 103-9.
5-7   Pseudo-Ovide? Citation non retrouvée.
10-11   *Cf.* Guillaume de Conches, *Phil.* 2, 17, col. 62; Barth. Angl. 8, 23 p. 400-1; Raoul de Longchamps, *In Anticl.* p. 84-6.
15-16   Lucain I, 651-2.
27-28   *Cf.* Guillaume de Conches, *Phil.* 2, 20, col. 63; Barth. Angl. 8, 26 p. 403; Raoul de Longchamps, *In Anticl.* p. 87.

II, 7 cum chorus naturaliter frigidus et siccus sit, quare nobis contrarius
videatur

1   Hic ponit septimam questionem et est cum ventus australis sit
frigidus naturaliter et siccus, quare pervenit ad nos calidus et
humidus. Solucio huius rei est quia ventus australis qui in se naturaliter est frigidus et siccus, antequam perveniat ad nos transit per
torridam zonam a qua recipit caliditatem et pervenit ad nos calidus   5
et quia eius frigiditas ex frigiditate eius naturali remissa est per
caliditatem et sic apparet nobis humidus.

2   Et potest fieri eadem questio ex vento septentrionali qui naturaliter est calidus et humidus et tamen nobis apparet frigidus et
siccus, ita quod eius siccitas reddit homines raucos. (Et causa huius   10
est quia transit per torridam zonam (*sc.* australis) in qua temperatur
eius frigiditas et siccitas.) Econtrario est de vento septentrionali
quia transit per zonam frigidam et siccam.

II, 7   **1** TM¹BL; ML²G¹G²P² ont une explication semblable mais plus brève.   **2** M; G² et P² mentionnent, dans une phrase brève, que le contraire (du cas de l'*australis*) s'applique pour le *septentrionalis*.

II, 7   **1** 1 sit] est L   2 pervenit ad nos] apparet nobis quod sit B   2 pervenit M¹L provenit T   2-5 et humidus — calidus] *om.* M¹   3 rei T *om.* BL   3 quia T quod BL   3-4 ventus — siccus] *om.* L   3 *post* se *add.* est T   4 perveniat TB veniat L   5 et T et sic BL   6 eius T *om.* BL   6 naturali TL *om.* B   6-7 per — humidus] *om.* M¹   7 nobis TB *om.* L

II, 7   Indications des sources et passages parallèles

3-7 *Cf.* Macrobe, *Comm. in Somn. Scip.* 2, 5, 20; Guillaume de Conches, *Phil.* 3, 15, col. 81; *Dragm.* 5 p. 167; Michael Scot, *Quest.* Lectio XI p. 320; Barth. Angl. 11, 3 p. 489-90.

A noter que le *caurus* (*corus, chorus*) est à côté de *Boreas* et ne correspond donc pas à l'*auster*, mais plutôt au vent du nord. La question paraît donc erronée.

II, 8 elementorum connexio proporcionalis

Octava ponitur ibi: *Octavo etcetera*. Et potest formari dupliciter. Uno modo sic: que sit debita proporcio elementorum adinvicem, scilicet quod quedam sunt superius, quedam inferius. Huius autem racio facilis est quia eorum raritas et densitas sive levitas et gravitas causa est sufficiens. 5

Vel potest sic formari ut querat que sit proporcio elementorum ad constituendum elementatum. Huius solucio patet per Aristotilem quia ista commixtio fit per qualitates convenientes.

Ad maiorem huius evidenciam notandum quod natura corporis quantitati continue diffunditur ab orbibus usque ad centrum terre. 10 Participatur tamen a quibusdam secundum plus et a quibusdam secundum minus secundum eorum capacitatem. Cum qua natura lux supracelestis diffunditur in omnibus inferioribus. Sine qua natura corpora supracelestia nullum haberent effectum in hiis inferioribus, quoniam sicut est in accionibus corporum primorum 15 adinvicem, ut elementorum, quod ipsorum non esset accio nisi haberent aliquod simbolum et hoc simbolum necesse est esse naturale et sensibile, et ex hoc est quod accio in naturalibus dicitur univoca, similiter ad hoc quod fiat accio corporum supracelestium in hec inferiora necesse est quod sit aliquod simbolum in supracelesti- 20 bus et in inferioribus, ut ista natura de qua dictum est que non participatur sine luce subtili. Sed quia hoc simbolum naturale non est nec sensibile proprie loquendo, ideo dicitur accio corporum supracelestium equivoca in hec inferiora. Et hec a philosophantibus dicitur aurea catena quia a summo usque ad deorsum expanditur. 25 Hec igitur est que equat et unit hec inferiora.

II, 8   L²G¹M; M¹BLTG²P² ne contiennent qu'une réponse très brève qui correspond au passage des lignes 6-8 auquel ils ajoutent (sauf P²): *Unde eorum quorum est simbolum facilior est transmutacio, ut vult Aristotiles* (*cf.* les lignes 17 *sqq.*). G¹ a en plus une citation d'Ovide: «*Hanc deus et melior litem natura diremit*» et subiungit «*imminet hiis aer*» etc. (Ovid. *Met.* 1, 21 et 1, 52).

II, 8   3 Huius autem] cuius M   4 facilis] *om.* M   4 *pr.* et L² vel G¹ *om.* M   4 sive levitas L² sicut levitas G¹ *om.* M   6 Vel — querat] et potest sic solvi questio quod querit M   8 ista] ita M   8 *post* convenientes *add.* que sunt calide et humide, frigide et sicce M   9 maiorem] *om.* M   9 corporis] corruptionis M   10 quantitati G¹ coniunctim M *om.* L²   12 qua] *om.* G¹   13 diffunditur] infunditur M   13-5 Sine — accionibus] *om.* L²   14 natura M nulla G¹   14 haberent G¹ habent M   15 sicut G¹ sic M   15 accionibus G¹ actibus M   16 quod] *om.* M   16 *post* nisi *add.* quod M   17-20 et hoc — aliquod simbolum] *om.* G¹   18 *post* dicitur *add.* esse M   19 similiter L² scilicet M   20 quod sit L² *om.* M   21 de qua dictum] que dicta M   22 sed quia hoc] et hoc est M   23 dicitur] omnis M   24 *alt.* hec L² hec natura M hoc G¹   24 philosophantibus] philosophis M   25 quia] que M

II, 8   Indications des sources et passages parallèles

3-5 Sur la place des éléments comparés l'un à l'autre, *cf.* par exemple Guillaume de Conches, *Phil.* 1, 21, col. 52-3; *cf.* aussi Macrobe, *In Somn. Scip.* 1, 6, 32.

7 *elementatum*: *cf.* Ps-Boèce p. 150.

7-8 Arist., *De gen. et corr.* B 4, 331 a 7; 24; *cf.* Albert le Grand, *De gen. et corr.* II II, 2 *quecumque enim habent symbolum adinvicem, hoc est convenientiam in altera qualitate* ..., mais là il s'agit de la transmutation des éléments l'un dans l'autre, pas de la *commixtio* qui forme l'*elementatum*.

Ad App. I: Arist., *De gen. et corr.* B 4, 331 a 23-6.

II, 9 solis luneque meatus et effectus

1   Hic ponit nonam questionem et est de cursu solis et lune et effectu eorum in hec inferiora.

2   Ad hoc sciendum quod sol in anno perficit cursum suum. Iste autem medius est inter planetas. Dicitur autem fons luminis et caloris; ab ipso enim luna splendorem suscipit. Luna autem perficit   5
cursum suum in mense propter sui velocitatem. Sol etiam multos effectus habet in hec inferiora, quia per ipsum variantur anni et tempora anni. Secundum enim eius appropinquationem et remotionem fit estas, hyemps, ver, autumpnus, nox, dies. Unde Lucanus in decimo: 'Sol tempora dividit anni'.   10

3   Preterea quosdam planetas facit retrogrados et quosdam stacionarios et quosdam processivos. Unde Lucanus in eodem: 'radiis patentibus astra ire vetat cursusque vagos stacione moratur'.

4   Nota etiam quod luna in hec inferiora habet multos effectus quia secundum crementum et decrementum eius quedam animancia cre-   15
mentum et decrementum sussipiunt et etiam mare fluxum et refluxum et etiam per virtutem eius quidam dicuntur lunatici.

5   Dicit etiam Philippus in phisica sua quod luna facit transitum semel in anno per duo foramina terre de quibus tantus fetor exit sive ex fetore terre sive ex fetore inferni quod corpus lunare tan-   20
quam rore quodam afficitur. Ulterius autem procedendo despuit hunc rorem super herbas. Unde in mane si bestie huiusmodi herbas gustaverunt antequam purgentur beneficio solari quandoque mortem incurrunt et morte sua alias bestias afficiunt, quandoque ungulas amittunt.   25

II, 9   Indications des sources et passages parallèles

5   Ce fait était généralement connu, *cf.* par exemple Isid. *Etym.* 3, 53; *Nat.* 8, 3; Macrobe, *In Somn. Scip.* 1, 19, 9.

8-9   *Cf.* entre autres Guillaume de Conches, *Dragm.* p. 119-30.

9-10   Lucain 10, 201.

11-12   *Cf. De imagine mundi* 1, 68, col. 138.

12-13   Lucain 10, 202-3.

15-16   *Cf.* Macrobe, *In Somn. Scip.* 1, 19, 23; Bède, *Temp.* 28 p. 231-2; Barth. Angl. 8, 28 p. 411; Thomas de Cantimpré 17, 4 p. 35.

16-17   Pour l'effet de la lune sur la mer, voir sous III, 1(c).

17   *Cf.* Macrobe, *Saturn.* 7, 16, 26; Thomas de Cantimpré 17, 4 p. 35.

18-25   Passage assez mystérieux. Dans la *Cosmographia Aethici Istrici* ...

II, 9 **1** M¹BTL; L²G¹M varient un peu. **2** LM¹BTG²P²M; L²G¹ ont une forme plus brève. **3** M¹BTLG²M; P² s'arrête à *in* (ligne 12), voir ci-dessous **4**; L²G¹ ont à peu près la même chose. **4** M¹BTLG²; M a un passage semblable; P² aussi mais sous une forme très mutilée parce qu'il manque au moins une ligne du commentaire écrit dans la marge supérieure d'un feuillet qui a été coupé plus tard; L²G¹ donnent ce passage en tête de la réponse après la phrase introductive suivie de: *Pars prima huius questionis patet per precedencia in quinta questione* (le passage dans ces mss. précède donc **2** et **3**). **5** M¹BTLG²M

II, 9 **2** 3 sciendum] notandum P²   3 in] uno M   3-5 Iste — suscipit LG² *om. ceteri*   4 *post* planetas *add.* et ... tionis (?) G²   5 suscipit] suum habet G²   5-6 perficit cursum suum LB perficit cursum G² perficit T *om.* M¹M   6 propter sui velocitatem] *om.* M¹B *ante* perficit (5) *transp.* G² 6 *post* sol *add.* qui est fons tocius caloris et luminis M   7 in hec inferiora] in istis inferioribus G²MP²   7 quia per ipsum] per ipsum quia L per ipsum autem M   8 Secundum enim] *inv.* L   8 eius] *om.* T   8 appropinquationem] propinquitatem M   8-9 et remotionem] *om.* M¹   9 nox dies] dies et nox P²   10 in decimo] *om.* M¹BTP²   10 anni *omnes* aevi Luc. *Phars.* X, 201 (*v.l.* anni)
3 11 retrogrados ... stacionarios] *inv.* G²M   12 in eodem] *om.* M   12 radiis M¹ radiisque BTG²   12-3 patentibus *omnes* potentibus Luc. *Phars.* X, 202
4 14 Nota etiam quod] *om.* G²   14 in hec inferiora] in hiis inferioribus G² 14 multos effectus] effectum triplicem G²   14 quia] quod L   15 et decrementum BTLG² inde M¹   15 eius] *om.* M   16 etiam] *om.* G²
5 18 Dicit — sua] dicitur autem quod G²   18 Philippus BTL philosophus M¹M   18 in phisica sua] *om.* M   18 *post* transitum *add.* suum M   20 sive ex fetore BT aut ex fetore M sive L vel G² sive ex corpore fetore M¹ 20 lunare] lune M   21 afficitur] inficitur M   21 Ulterius] ultimo T 22 si] *om.* M¹   22 huiusmodi] inde L   23 gustaverunt] -int TG²   23 purgentur] purgarentur M   23 solari] solis M   23 quandoque] *om.* M 24 et] et quandoque L   24 alias bestias M¹BG² alios T alias L alias et alios M   24 afficiunt BTLG² efficiunt M¹ inficiunt M   24 quandoque] et quandoque M quandoque etiam L   24-5 ungulas M¹TG² (?) ungulos M virgulas B   25 amittunt] et linguas et alia huiusmodi occasione fetoris roris perdunt M   amittunt quandoque non modicas in singula (?) lesiones accipiunt G²

---

ed. H. Wuttke (Leipzig 1853) ch. 6, 8, 13 *etc.*, c'est le soleil qui passe par des trous dans la terre. — Sur la lune cause de la rosée, *cf.* Ps-Bède, P.L. 90, 887; Barth. Angl. 8, 28 p. 411. *Cf.* aussi, sur l'écume vénéneuse que la lune dépose sur les plantes quand s'approche de la terre sous les incantations des magiciennes, Lucain, *Phars.* 6, 506; 6, 669 et S. Lunais, *Recherches sur la lune*, I (Leyde 1979) p. 222 et 225. — Pour l'effet néfaste de la rosée sur les animaux, *cf.* Albert le Grand, *Meteor.* II, 1, 14. La même chose est dite d'ailleurs de la *pruina.* — A noter que dans les *Questiones Salernitane* P 113 et R 1, où il s'agit de l'effet néfaste des rayons de la lune sur les chevaux, le mot *foramen* est utilisé, mais pas dans le sens de trou dans la terre (*transeuntes per angustum meatum vel foramen fortiter penetrant (radii lune) et ad interiora perveniunt*).

III, 1 (a) cur tremor in terris   (b) cur concrepat aera fulgur
     (c) cur maris exundat rabies   (d) gustusque malignus

a 1   *Ultima semicicli etc.* Hic addit questiones inscriptas ultime planiciei circuli Cratonis. Quorum prima querit causam terre motus.

  2   Ad hoc notandum quod ex vapore sicco subtili elevato fit ventus,
ex vapore sicco et grosso aggregato incluso in ventre terre ibidemque
agitato per nisum eius ad exitum fit terre motus. Et hoc, ut dicit   5
Aristotiles, maxime contingit ubi est vehemens exhuberacio aquarum maris. Ibi enim subintrat aqua salsa per cavernas et poros
terre propter fortem expulsionem et ibi quiescit inclusa et ex siccitate terre convertitur in vaporem siccum et grossum, per cuius
agitacionem fit terre motus. Terre motus etiam maxime contingit   10
in locis mollis terre, quia mollicies terre opilat poros terre et facit
vapores interius habundare qui propter multitudinem coartati
fortiter agitantur; per quorum agitacionem fit terre motus.

  3   Sciendum secundum Albertum quod vapor est duorum generum,
scilicet vapor humidus et vapor siccus. Vapor autem siccus a terra   15
elevatus est ventus sive materia venti. Ipse enim est qui elevatur a
terra per caliditatem solis pervenientis ad eam et est radix ventorum
et principium eorum. Factus per duos modos: est autem aliquando
iste vapor subtilis in superficie terre elevatus et ille transcendit
aerem et concutit ipsum, aliquando extrahitur de profundo terre   20
et est grossus non potens exspirare propter terre profunditatem et
soliditatem et invenit loca concava subtus in terra et coartatur
in ventribus concavitatum terre et facit terre motum. Unde ex
dictis patet quod eadem est materia venti et terre motus.

  4   Nota quod aer calidus in estate rimas terre subintrans (*sic*) et   25
hieme superveniente constringuntur pori terre; aer autem inclusus
qualicumque gaudens exitu irrumpit (*lege* er-) et quia non libere nec
sine obstaculo irrumpit (*lege* er-) impetu suo terram dividit et inde
provenit terre motus.

b 1   Alia questio ponitur ibi: *cur concrepat etc.* et est que sit causa ful   30
guris coruscantis in aere. Ad cuius solucionem notandum quod venti
suo spiramine aquas in aere trahunt que conglobate in nubes densantur. Dicuntur autem nubes quasi nimborum naves, quibus dum
venti inclusi erumpere nituntur, magno murmure concrepant et
nubibus collisis ignem terribilem excutiunt. Crepitus igitur nubium   35
et ventorum est tonitrus, ignis inde excussus est fulgur.

    Sed hoc videtur falsum quod ignis causatur a tonitru quia causa

III, 1 **a** **1** G¹L²M; M¹BTL ont une phrase semblable. **2** L²G¹M; G² n'a que la première phrase (lignes 3-5). **3** TLM¹B **4** P²
b **1** L²G¹M; TLM¹B expliquent, eux aussi, d'une façon un peu plus brève, pourquoi on aperçoit le foudre avant la tonnerre, en donnant l'exemple suivant: *quod patet per signum quia aliquo secante aliquid cum securi a remotis videbimus securim elevatam antequam senciemus auditu sonum ictus.*

III, 1 **a** **1** 2 circuli G¹L² cathedra ipsius M
2 3 *post* sicco *add.* et M   4 aggregato] cong- M   4 incluso] -que M
6 est] *om.* M   6-7 aquarum] aque M   7 subintrat L²M subtrahat G¹
7 *post* salsa *add.* maris M   8 propter — expulsionem] *om.* M   10 *alt.*
terre motus] *om.* M   10 etiam] et M   12 *post* vapores *add.* terre G¹
12 coartati] *om.* M
3 15 *alt.* vapor TB *om.* LM¹   15 *alt.* siccus LM¹B *om.* T   16 a] ex B
17 per] propter L   18 autem T enim LM¹B   22 coartatur T   ille coartatus M¹B coartans L   23 et T *om.* LM¹B   23 *alt.* terre] *om.* M¹   23
post ex *add.* illis M¹   24 eadem — terremotus] materia venti facit ter-
remotum L   24 terre motus *correxi* tonitru TM¹B
4 27 qualicumque *correxi* qualique P²
b **1** 31 aere M aera L²G¹   32 aere L² aera G¹ aerem M   33 quibus
L²M qui G¹   34 *post* et *add.* ventis etiam M   35 ignem terribilem
excutiunt] ignis terribilis generatur M   35 Crepitus] strepitus M   36
est G¹M *om.* L²   37 Sed hoc] vel aliter quia M   37 *post* ignis *add.* vel
fulmen G¹   37 a] ex M

III, 1 Indications des sources et passages parallèles

a 3-5 Version plus brève de 14-24.
5-7 Arist., *Meteor.* B 8, 366 a 23-5; 30-2.
10-13 *Cf.* Albert le Grand, *Meteor.* III, 2, 6 p. 625A.
14-24 Albert le Grand, *Meteor.* III, 2, 6.
22-23 *Cf.* aussi Urso, *Aphor.* glos. 6 p. 27-8; Bède, *Nat.* 49, col. 275-6;
Isid., *Nat.* 46, 3.
Pour l'histoire des théories sur le tremblement de terre, *cf.* O. Stegman, *Die Anschauungen des Mittelalters über endogenen Erscheinungen der Erde* dans «Archiv für die Geschichte der Naturwissenschaften und der Technik» IV (1912) p. 345-359; 409-424.
b 31-36 *De imagine mundi* 56-7, col. 136-7; *cf.* Bède, *Nat.* 28, col. 249-50; Isid., *Nat.* 29.

precedit causatum; sed fulmen precedit tonitrum, quod patet
quia multociens apparet nobis quando tonitrum non audimus.
Et sive tonitrum audiamus sive non, semper nobis prius apparet   40
fulmen, ergo fulmen est causa tonitrus et non econverso. Ad
hoc sciendum quod quamvis prius percipitur lumen quam sonus,
tamen ictus precedit fulmen quia ex vehementi percussione elementorum adinvicem ignis adgeneratur, ut patet in concussione lapidum
adinvicem. Et quare nobis prius appareat ignis quam ictus vel   45
sonus, notandum est quod inter omnes sensus omnium animancium
visus est melior et perceptibilior et hoc patet quia multo longius
videre possumus quam audire vel sentire et etiam in percutiente a
longe eo quod descensum ictus multo prius videmus quam sonum
audimus et hinc est quod illud quod visui pertinet prius apparet.   50

2   Ad hoc sciendum secundum Albertum, qui consonat sententie
Aristotilis, quod materia tonitrui est vapor siccus, sicut et materia
venti, sed cum vapor siccus ascendit, aut ascendit purus non compressus. Si ascendit purus non compressus in vapore humido, tunc
facit ventos. Si autem ascendit compressus in eo, tunc quando vapor   55
humidus pervenit ad locum medii intersticii aeris qui frigidus est,
incipit comprimi. Comprimitur etiam in ipso quasi in ventre vapor
siccus calidus accidentali caliditate. In tali autem compressione
vaporis sicci vehementer agitatur vapor siccus. Agitacio autem
inducit accidentalem inflammacionem in vapore sicco. Vapor autem   60
siccus facilime est inflammacionis quod declarat per exemplum in
ventuositate sicca egrediente a ventre hominis. Hec enim si per
pannum subtilem emittatur et candela adhibeatur, tota inflammatur flamma lata et dispersa. Hec igitur inflammacio est causa fulgu-
ris et per extinctionem eius in nube aquosa fit tonitrus. Et bene   65
dicit Aristotiles quod tonitrus est extinctio ignis in nube aquosa.

Nota quod quando nubes aquosa fuerit spissa, tunc multum est
de tonitru quia multum de vapore sicco inflammato extinguitur
in ea et tunc parum est de coruscacione vel nichil, quia totum
extinguitur in ea vel quia parum exit non extinctum. Si autem   70
nubes aquosa sit rara, tunc multum est de coruscacione, parum de
tonitru.

3   Nota quod aliquando generatur tonitrus non coruscans et est
quod quando ex terra elevatur vapor humidus habens multum de
vapore calido et sicco, quando defertur sursum, condensatur in   75
nubem per frigus circumstans fugans vaporem calidum et siccum
ad interius nubis. Qui quidem ibidem coartatus et agitatus percutit

2 M¹BTL   **3** G² (la première partie, lignes 73-93, est en fait une explication plus longue de **2**, lignes 67-72).

---

39 *post* nobis *add.* ignis G¹ fulmen M   40 nobis] *om.* M   42 percipitur] -iatur M   43 ictus G¹ sonus M retro L²   44 adgeneratur] generatur M 44 concussione] percussione M   45 vel G¹M et L²   46 *post* sonus *add.* ad hoc M   47 et perceptibilior] *om.* M   48-50 et — apparet] et sic licet tonitrus prius fiat quam coruscatio, tamen prius coruscationem percipimus quam tonitruum M   50 *post* pertinet *add.* ut fulmen G¹ **2** 51 secundum Albertum] quod Albertus T   52 *post* Aristotilis *add.* quod T   52 materia tonitrui(-us)] tonitrus L   52 tonitrui M¹ tonitrus BTL   53 aut ascendit M¹B et descendit T vel descendat L   54 Si — compressus M¹ *om.* BTL   54 *post* humido *add.* aut ascendit in vapore humido compressus. Si ascendat in vapore humido non compressus L   55 autem ascendit] *om.* T   55 quando] quandoque L   56 medii] *om.* T 56 *post* est *add.* et L   58 compressione] comprehensione L   59 *ante* Agitacio *add.* que quidem T   60 accidentalem] actualem T   61 facilime] focillamen L   62 ventuositate M¹ ventositate BTL   62 per] *rep.* M¹ 63 emittatur] emulceatur L   63 et candela adhibeatur] *om.* M¹   65 in] de L   65 Et bene M¹ bene L unde B ut T   67 *post* nota *add.* etiam TL 67-9 tunc — in ea] *om.* L   67 tunc M¹B *om.* T   68 *post* quia *add.* vel BT   70 quia M¹ *om.* BTL   70 *post* parum *add.* de igne BTL   70 non extinctum TL inexstinctum B non distinctum M¹   71 sit] fuerit B   71 *post* coruscacione *add.* et BTL

43-44   *Cf.* Bède, *Nat.* 29, col. 250-1.
45-50   *Cf.* Isid., *Nat.* 30, 2; Bède, *loc. cit.*; Sénèque, *Nat. quest.* II, 12, 6; Guillaume de Conches, *Phil.* 3, 10, col. 78; *Dragm.* 5 p. 181.
51-66   Albert le Grand, *Meteor.* III, 3, 4.
65-66   Arist., *Meteor.* B 9, 369 b 16-7; *Anal. Post.* B 10, 94 a 3-5; à noter qu'Aristote cite ici l'opinion d'autres philosophes.
67-72   En fait une version plus brève de 70-90.
73-84   *Cf.* Albert le Grand, *Meteor.* III, 3, 4 p. 643A *sqq.*

humiditatem nubis et scindit eam, quare auditur sonus quasi esset
scincio quedam et est ille sonus tonitrus. Qui sonus contingit tum
propter vehementem percussionem corporum adinvicem et propter 80
humiditatem corporis protrusi et propter calidum et siccum per-
cussiens et non provenit inde coruscacio quia vapor ille non est
ita vehementis accionis ut inflammet nubem et fondat eam intra
ut faciat ignem ex ea apparere. Et sic generatur tonitrus non
coruscans. Tonitrus vero coruscans fit quando venti calidi et sicci 85
concluduntur in interiore parte nubis et ibidem agitantur. Ex qua
quidem agitacione adurunt nubem et inflammant eam inflamma-
cione vehementi ita quod pars inflammata concutitur cum parte
humida ipsius nubis ex quo auditur sonus ac si esset sonus ferri
igniti submersi in aquam. Et in illa concussione scinditur nubes 90
ita quod apparet ex ea ignis exiens qui cicius venit ad nos quam
auditur sonus tonitrus. Et diversificatur sonus tonitrus secundum
diversitatem locorum et nubium.

Vapor calidus siccus terrenus ascendit ad suppremum aeris con-
tingens speram ignis et calefit vehementer tum quia approximatur 95
spere ignis, tum quia appropinquat motui orbi<s> supracelestis.
Iste vapor terrenus aut elevatur totus simul aut non totus simul
sed successive. Si totus simul, aut est subtilior in una sui parte quam
in alia aut eque subtilis et grossus in qualibet sui parte. Si vero
subtilior est in una sui parte quam in alia, tunc pars subtilior 100
elevatur superius et acuitur; pars vero grossior elevatur inferius
et dilatatur et tunc est ignis perpendicularis. Si vero elevatur simul
eque subtilis in qualibet sui parte, aut prolongatur in sua elevatione
aut non. Si non prolongatur, fit ex eo inpressio que dicitur candela,
si vero prolongatur, fit ex eo inpressio que dicitur assub. 105

Si vero non elevatur totus simul, aut est subtilis in qualibet sui
parte aut non. Si non, non potest fieri ex eo aliqua inpressio continua. Si vero sit eque subtilis, fit ex eo inpressio inflammata que
dicitur ignis longus minutus.

Vapor aquosus aut elevatur magis subtilis et tunc elevatur 110
ultra medium aeris citra estum, aut minus subtilis et tunc elevatur
ad medium. Si elevatur ultra medium, aut comprimitur et agregatur
in inpressionem ante resolucionem sui in aquam et sic fit pluvia,
aut post resolucionem et tunc aut comprimitur frigore nullo calore
intercepto et tunc fit grando minutarum parcium, aut comprimitur 115
equaliter frigore comprimente et calore resolvente et tunc fit ros.
Si vero elevatur ad medium, aut comprimitur frigore dum est in

79-80 *Cf.* aussi Guillaume de Conches, *Phil.* 3, 10, col. 78; Urso, *Aphor.* Glos. 7 p. 28; Raoul de Longchamps p. 33.

85-92 *Cf.* Albert le Grand, *Meteor.* III, 3, 4 p. 643B-644A; *cf.* aussi Guillaume de Conches, *Dragm.* 5 p. 185-6; pour 85 *cf.* aussi Barth. Angl. 11, 13; Raoul de Longchamps p. 33.

92-93 *Cf.* Albert le Grand, *loc. cit.* p. 643A-B.

94-109 *Cf.* Arist., *Meteor. lat.* 220-7 (p. 76, 14-24); Albert le Grand, *Meteor.* I, 4, 4 et 5; Barth. Angl. 11, 1 p. 484-5.

110-121 *Cf.* Albert le Grand, *Meteor.* III, 3, 4 p. 642B-643A; pour 110-116 *cf.* aussi Arist., *Meteor. lat.* 217-8 (p. 76, 9-12).

via resolucionis ad aquam et tunc fit nix, aut postquam resolvitur
et tunc aut comprimitur frigore nullo intercepto calore et tunc est
grando grossarum parcium, aut comprimitur frigore multo inter- 120
cepto calore et tunc fit pluvia.

4   Seneca autem scribit multa miracula de fulgure dicens : mira sunt
fulminis opera nec quicquam in eis dubium relinquam quin divina
sit ibi potencia. Quorum unum mirandum est quod loculis illesis
atque integris conflatur argentum, manente etiam vagina integra 125
gladius liquescit intra, inviolato etiam ligno in pilo ferrum omne
distillat, fracto etiam doleo stat vinum, nec ultra triduum durat
iste rigor. Istud eque inter alia notanda ponas quod hominum et
ceterorum animalium corpora que icta sunt fulmine, eorum capud
spectat ad exitum fulminis et quod omnium percussarum arborum 130
contra fulmina hastile surgunt et quicquid malorum serpentum et
aliorum animalium quibus mortiferum virus inest cum fulmine
icta sunt, venenum omne consumitur. Unde, inquit, scis ? Quod
in venenatis corporibus vermis non nascitur, fulmine autem icta
per paucos dies verminant.   135

c 1   *Cur maris.* Hic ponit terciam questionem que est de fluxu et
refluxu maris. Dicitur quod cum incorporetur mari virtus supracelestis, movetur fluendo naturaliter. Et ista virtus, ut dicitur,
est virtus corporis lunaris. Vult quidem Aristotiles quod causa
fluxus maris est strictitudo laterum eius. Hec tamen non est causa 140
fluxus, sed est quasi conferens ad fluxum eius. Velocitas autem
fluxus causatur per striccionem vel per strictitudinem laterum.

Ad iam dictum plenius intelligendum nota quod cum luna habeat
potestatem super humida per incorporacionem radiorum suorum
in aquas maris, facit eas inturgescere vel, ut vult quidam, eas 145
rarefacit, quod ostendit per experimentum nautarum dicentium
naves profundare se plus in aquas maris tempore fluxus quam
tempore refluxus. Quod non contingeret nisi essent aque maris
magis rarefacte. Et sic fluunt aque maris. Ex quo enim inturgescent
vel magis rarefiunt, querunt sibi ampliorem locum et est causa 150
accidentalis.

De numero fluxuum in uno die naturali sciendum quod duo sunt
quia cum luna oritur in oriente alicuius maris, tunc primo infundit
radios lunares in aquas maris et fortiter imprimit suam virtutem
movetque mare, ut dictum est prius. Et augmentatur motio quous- 155
que luna pervenerit ad meridiem. Cum autem transierit meridiem,
minoratur virtus eius effectiva et redit mare ad proprias cannales

4 M¹BTL — Pour cette partie de la question (III 1 b) P² s'accorde avec un *actor* qui dit que le phénomène est un des arcanes de Dieu.

c 1 TLM¹B; M a un passage qui correspond aux lignes 136-160, surtout au début assez différent d'expression et plein d'erreurs; G², après une réponse très brève qui correspond aux premières phrases de ce passage, cite Lucain: *Dicitur quod cum mari incorporetur virtus supracelestis, movetur fluendo naturaliter et refluendo per eandem naturam. Et illud corpus supraceleste ei incorporatum est luna. De isto cursu et recursu maris plures edidit* (?) *Lucanus causas. Ad ultimum tamquam certam ignorans causam dicit*: «*querite quos agitat mundi labor*» etc. (Luc. *Phars.* I, 417); P² ne cite que ce vers de Lucain.

---

4 122 miracula M¹B mirabilia TL   128 rigor M¹B liquor TL   128 eque] quoque L   128 notanda] monstranda T   130 spectat] asspectat L   130 quod] *om.* T   131 hastile M¹B astute T (Sen.: astulae)   133 sunt TL sint M¹B   133-5 inquit — paucos] *om.* M¹
c 1 138 ista virtus TB ita virtus ista M¹ ita virtus L   139 quidem] tamen M¹   140 strictitudo] fortitudo T   140 Hec] hoc M¹   141 *post* quasi *add.* causa L   141 eius] *om.* L   141 autem T etiam LM¹ enim B   142 causatur] *om.* T   142 per striccionem vel T *om.* LM¹B   143 intelligendum T sciendum LM¹B   145 vult T volunt LM¹B   146 ostendit] -dunt M¹   149 magis] *om.* L   149 inturgescunt] -ntur M¹   150-1 et — accidentalis TL *om.* M¹B   153-4 tunc — maris *post* mare (147) *transp.* L   154 *post* imprimit *add.* per L   155 movetque] undique L   155 *ante* motio *add.* hec M¹B   155 motio] hoc modo L   157 minoratur] immoratur M¹   157 eius T *om.* LM¹B

122-135   Sénèque, *Nat. quest.* II, 31, 1 *sqq.*
c La théorie que la marée est causée par l'influence de la lune n'était pas généralement acceptée. Isidore mentionne plusieurs autres possibilités (*Nat.* 40) et Guillaume de Conches (*Phil.* 3, 14) donne une explication tout-à-fait différente du phénomène. D'autre part, Aristote mentionne la lune comme cause de la marée (*De mundo* 4, 396 a 25-7) et aussi par exemple Priscianus Lydus (*Solut.* 6 p. 71-4).
137-139   *Cf.* Robert Grosseteste, *Questio* p. 15 (*ed.* Dales I, 30 p. 459).
139-140   Pas trouvé chez Aristote.
145-151   *Cf.* Robert Grosseteste, *Questio* p. 16 (*ed.* Dales I, 64-5 p. 460).
152-163   Robert Grosseteste, *Questio* p. 17 (*ed.* Dales I, 89-101 p. 461-2).

quousque perveniat ad occidentem. Ab occidente usque ad medium
celi sub terra respectu nostre habitacionis iterum augmentatur
mare et a medio celi iterum minoratur mare quousque iterum per- 160
veniat ad ortum. Et sic in una revolucione ab ortu usque ad occasum
duo sunt fluxus et duo refluxus, quia secundum duas quartas celi
sunt duo fluxus et secundum alias sunt duo refluxus.

2   Si querat aliquis quare luna existens supra horizonta alicuius
maris plus fuit in una quarta quam in alia, cum tamen in utraque 165
quarta incorporentur radii lunares in aquas maris, causa huius
est quia maiorem virtutem habet in ascendendo quam in descendendo et propterea in eius ascensu fluit mare et in eius descensu refluit.

Et si queratur quare luna existens (*lege* -nte) in duabus quartis
celi sub terra respectu nostri habitabilis in una fluat mare nostrum 170
et in alia refluat, cum tamen luna non infundat in mare suos radios
et corpora celestia non agant in hec inferiora nisi per sua lumina,
ad quod respondent astronomi dicentes quod quarte opposite in
celo habent effectus consimiles. Unde sciendum quod sicut pars
revolucionis lune ab ortu usque ad ortum excedit tempus diei et 175
noctis, ita tempus duorum fluxuum et refluxuum completorum
excedit tempus diei et noctis. Si ergo sciatur per quot horas subsequatur vel precedat ortus lune ortum solis, scietur per quot
subsequatur vel precedat inicium accessionis inicium diei. Et quia
lunacio una continet viginti et novem dies et aliquot minuta, 180
ideo in septem diebus completis et quarta diei et quibusdam minutis
distat luna a sole secundum quartam circuli versus orientem. Unde
in termino huius temporis, cum sol fuerit in oriente, luna erit in
medio celi sub terra et tunc erit principium recessionis, cum in
principio illius temporis fuit inicium accessionis. Hoc autem tempore 185
duplicato, cum sol fuerit in occidente, erit luna in oriente et tunc
erit principium accessionis. Si autem destiterit luna a sole secundum
tres quartas, cum sol est in occidente, luna erit in medio celi super
terram et tunc erit principium recessionis. Cum autem iterum
coniungatur luna soli, tunc simul cum inicio diei erit inicium acces- 190
sionis. Et hoc est quod dicunt naute quod si cum inicio diei fuerit
inicium accessionis septem diebus completis cum inicio diei sequen-
tis erit inicium recessionis.

Sciendum enim quod accessio et recessio sive fluxus et refluxus,
quod idem est, non in eisdem temporibus apparent in litoribus maris 195
propter distanciam litoris a medio maris ubi inicium sumit accessio
et recessio, ut innuit Aristotiles in libro metheororum.

2 TLM¹B

158 perveniat] pervenerit L   158 *post* occidentem *add.* et M¹B   159
nostre habitacionis T nostri inhabitabilis L   159 augmentatur TB augetur LM   160 *post* celi *add.* sub terra B sub terra et M¹   160 mare T
om. LM¹B   161 usque T *om.* LM¹B   162 *post* secundum *add.* duas L
2 164 supra horizonta M¹ in supra orizonta B in superiori zona T in oriente
super zona L   165 utraque] unaquaque M¹   166 incorporentur] -antur
B   170 habitabilis] inhabitabilis L   171 refluat] -it T   171 infundat]
-dit L   172 agant] agunt M¹   173 opposite] planetarum L   174
Unde] *om.* M¹   175 ortum] occasum T   176 *post* ita *add.* quod T   177
excedit — sciatur] *om.* T   178-9 ortus — precedat] *om.* M¹   179 accessionis M¹ ascensionis T   181 *post* quibusdam *add.* aliis L   183 termino L tercio M¹B tempore T   183 temporis] operis L   185 illius
temporis M¹B alicuius temporis L alterius T   185 accessionis M¹B ascensionis TL   186 duplicato T duplato M¹BL   187 accessionis B (acs-)
ascensionis TL   187 *post* autem *add.* ulterius M¹B   189 iterum] *om.* L
190 coniungatur TL -gitur M¹B   190-1 accessionis M¹B ascensionis TL
192 *idem*   192 quod] *om.* L   192 septem] sex B   192 diei] die T
194 enim T autem L *om.* M¹B   195 apparent *correxi* -et TLM¹B   196
litoris T litorum M¹B (L lu-)   196 sumit] assumit L   197 in TM¹ *om.*
BL

164-168   *Cf.* Robert Grosseteste, *ibid.* p. 17-8 (*ed.* Dales I, 102-110 p. 462).
169-197   Robert Grosseteste, *ibid.* p. 18 (*ed.* Dales I, 110-40 p. 462-3);
pour 174-7, *cf.* aussi Bède, *Temp.* 29, 9 *sqq.* p. 233.
197   Pas trouvé chez Aristote.

Sciendum etiam quod quandoque augmentatur fluxus et fit fortis, quandoque autem diminuitur et fit debilis et huius causa notissima est quod cum in coniunctione lune cum sole vigoratur 200 virtus lune et fit fortis, in recessione autem lune a sole minuitur eius virtus et sic minuitur accessus sive fluxus quousque destiterit a sole secundum quartam circuli ab illo loco quousque pervenerit ad semicirculum et tunc augetur eius virtus non propter recessum a sole, sed propter augmentacionem sui luminis et iterum post tres 205 quartas minuitur accessus et iterum augetur quousque coniungatur soli et sic proporcionaliter sunt quatuor partes unius mensis corespondentes quatuor partibus unius diei. Alia causa eiusdem est accessus lune ad longitudinem sui circuli longiorem a terra. Tunc enim minoratur eius virtus in terra propter sui elongationem 210 et cum accedit ad oppositum augis, id est ad longitudinem propinquiorem terre, augetur sua virtus et sic accessio forcior. Tercia causa est declinacio lune secundum latitudinem a circulo signorum versus austrum. Tunc enim accedit ad medium occiani et sic accessus forcior. Cum autem declinatur a circulo signorum versus 215 septemtrionem propter recessum eius a medio occiani, minoratur accessus. Quarta causa est existencia lune in singnis australibus vel septentrionalibus et hec causa particularis accessus. Luna enim existens in signis australibus auget accessum ibidem. Luna enim existens in signis septentrionalibus auget ibi accessum in mari 220 septentrionali. Quinta causa est dies egipciaci et hec nulla est. Sexta causa est ex adiutorio solis. Sol enim ab equinoctio vernali usque ad solsticium estivale auget accessionem. Ab illo autem usque ad equinoctium autumpnale minuitur et ab illo usque ad solstitium hyemale auget accessum et ab illo iterum usque ad equinoctium 225 vernale minuit accessum. Septima causa est ventus. Cum enim ventus fuerit ex parte illa ex qua est accessus, auget eum. Cum autem in contrarium, minuit eum et causa hec est accidentalis.

3 Solucio huius est ex diversitate situs lune in quatuor partes mundi respectu maris ita quod bis fluit et refluit die naturali. Hec ergo 230 solucio ponit lunam esse causam efficientem sufficientem motus maris quod sic videtur racionibus. Id quod maxime habet effectum super humidum et frigidum, maxime habet effectum super motum humidi et frigidi, quare super motum maris; set luna est huiusmodi; ergo etcetera. Quod luna sit huiusmodi videtur per signum quia 235 dicuntur aliqui lunatici qui in deffectu lune paciuntur diminucionem cerebri quod est substancia humida et frigida in animali. Item ad

3 L²G¹

198 etiam] *om.* L   198 augmentatur] augetur M¹   199 autem] *om.* L
200 notissima] notativa L   200 cum TL *om.* M¹B   201 lune] *om.* L
202 eius] *om.* L   202 *post* minuitur *add.* eius M¹   205 augmenta-
cionem] argumentacionem T   205 post T ab isto quousque destiterit
secundum LM¹B   205 tres] duas B   206 coniungatur] coniugatur L
208 corespondentes] convenientes L   209 longitudinem T augem LM¹B
209 *post* circuli *add.* id est ad longitudinem LM¹B   211 et] *om.* B   211
accedit] -dat B   211 augis] axis T   212 *post* accessio *add.* est M¹   213
declinacio] deteriacio M¹   213 latitudinem] longitudinem M¹   214 accedit M¹B accidit TL   214 sic TL fit M¹B   215 declinatur] *om.* T
215 signorum] singulorum T   216 minoratur LM¹ immoratur TB   217
causa] *om.* M¹   217 lune] *om.* M¹   218 particularis] -iter T   218 accessus TL accessionis M¹B   219-20 accessum — auget] *om.* M¹   220
ibi] ibidem B   222 vernali] yemali L   226 causa TM¹ *om.* LB
3 230 bis L² *om.* G¹   234 *post* quare *add.* et G¹   236 aliqui L² *om.* G¹
236 in — paciuntur L² defectum lune patitur per G¹

198-228 Robert Grosseteste, *Questio* p. 19-20 (*ed.* Dales II, 1-51 p. 465-6),
mais la deuxième cause que mentionne celui-ci, n'est pas reprise par notre
commentaire. *Cf.* aussi Bède, *Temp.* 29, 38 *sqq.* p. 233-5.
232-237 *Cf.* Robert Grosseteste, *Quest.* p. 17 (*ed.* Dales I, 71-5; 84-6
p. 460-1); *Quest. Salern.* R 25.
237-243 *Cf. id. ibid.* p. 17 (*ed.* Dales I, 76-82 p. 460-1).

cuius motum maxime sequitur motus maris, est maxima causa
motus eiusdem; set luna est huiusmodi; ergo etcetera. Item sicut
se habet luminare maius ad humidum maius, sic se habet luminare   240
minus ad humidum minus. Cum ergo lumen solis quod est maius
temperet humidum aeris quod est maius, tunc lumen lune quod
est minus temperabit humidum aque quod est minus.

Ad oppositum: luna non habet effectum super motum maris
nisi per suum lumen. Set suum lumen non habet nisi a sole, ergo   245
nec effectum habebit super mare nisi a sole, ergo sol magis. Item
causa primaria plus influit super causatum quam causa secundaria.
Set sol est causa per sui lumen datum lune motus maris, ergo plus
influit super motum maris quam luna. Ergo sol magis erit causa
fluxus et refluxus maris quam luna. Dicatur ergo ad hoc, sicut   250
dictum est, quod luna est causa propria et immediata efficiens
motus maris. Ad primum obiectum in contrarium dicatur quod
lumen solis non habet effectum nisi cum incorporatur lune et
ideo luna est immediata et proxima causa effectiva huius motus
maris. Ad secundum dicendum quod causa primaria plus dicitur   255
influere quam causa secundaria quia influit radicem et fundamentum, secundaria autem plus influit quantum ad complementum
causati et hoc ultimo modo plus influit luna et primo modo plus
influit sol.

d   Alia questio subditur ibi: *gustusque malignus* et est que sit causa   260
amaritudinis sive salcedinis aque maris. Et vult Aristotiles in libro
metheororum quod calor solis incorporatus aque grosse facit eam
salsam. Contra hoc sic: omne agens phisice nititur naturaliter
assimulare sibi id in quod agit. Agens ergo cum sit rarum et subtile,
nititur rarefacere et subtiliare illud in quod agit. Sed agens cum   265
sit calidum, est rarum et subtile. Ergo agens huiusmodi nititur
subtiliare et rarefacere. Calidum ergo agens in humidum aliquantulum grossum naturaliter rarefacit ipsum et subtiliat et ita dulcorem
inducit magis quam salsedinem. Ad hoc contrariorum contrarii
sunt effectus, sed accio frigidi super humidum aqueum est conden-   270
sare et ingrossare. Ergo accio calidi super idem est subtili<a>re
et rarefacere. Ergo calidum agens in humidum non saliet ipsum.
Item nichil agens phisice habet contrarias acciones super idem.
Ergo nec calidum solis cum sit agens phisice super humidum
aqueum habebit contrarias acciones. Ergo si aliquid ipsius ᵓindulces-   275
cat, nichil ipsius salit nec amarescat. Item calor ignis agens in aquam
numquam salit eam. Ergo cum calor solis et ignis sit univocus,

d L²G¹; M¹BTLM répondent à cette question avec un passage qui correspond aux lignes 261-3 et 280-4: *Dicitur quod calor solis incorporatus aque grosse facit eam salsam. Ad cuius evidenciam intelligendum est quod calor solis cum incorporatur humido aqueo rarefacit et subtiliat inquantum potest et id quod valde est subtiliatum elevat in vaporem et elevatum non amarificat sed pocius indulcorat; grossum autem terrestre quod subtiliare non potest, adurit et amarificat.* — P² est différent: *Fluvius occeanus dum* (?) *est sub calida zona et propter nimium calorem dirumpitur aquaticum et eximia decoctione fit amara* (*lege* amarus?), *cetera maria ab eo descendencia amarum et salsum habent saporem.* — G² ne contient aucune réponse sur ce point.

---

240 se habet L² *om.* G¹   242 lumen lune L² luminare G¹   243 *post alt.* minus *add.* etcetera G¹   245 a L² ex G¹   246 magis L² maius G¹   249 quam luna L² *om.* G¹   250 ad hoc L² *om.* G¹   251 *post* est *add.* prius G¹ 253 incorporatur L² corporatur G¹   255 dicendum L² sciendum G¹   257 secundaria autem L² sed secundaria G¹
d 263 naturaliter L² *om.* G¹   264 id in quod L² in quid G¹   264 agit L² sit G¹   265 quod L² quo G¹   266 est L² *om.* G¹   269 ad hoc L² item G¹   270-2 *pr.* est — humidum *om.* G¹   276 agens in aquam L² in aqua G¹

---

d 261-262   Arist., *Meteor.* B 2, 354 b 26-30; 355 b 4-6.

calor solis numquam saliet aquam. Item aque in stagno sunt grosse, quare non salse.

Dicendum quod calor solis incorporatus humido aqueo rarefacit 280 et subtiliat ipsum inquantum potest et subtiliatum valde elevat in vaporem et elevatum non salit sed pocius dulcorat; grossum autem terrestre quod subtiliare non potest adurit et per adustionem salit.

Ad obiectum dicendum ad primum quod calidum inquantum 285 potest nititur calefacere et subtiliare et subtiliatum non salit sed grossum quod non suscipit subtiliacionem et per hoc solvit secundum. Ad tercium dicendum quod calidum in humidum aqueum penitus idem non habet contraries acciones, sed in humidum subtile unam et in grossum contrariam. Ad quartum dicendum quod aque 290 dulces in tantum sunt subtiles quod calor ignis vel solis non habet virtutem super eas et per hoc solvitur ultimum de stagno.

285-6 Ad — salit L² *om*. G¹   290 contrariam *correxi* -ium L²G¹

280-284 *Cf.* Bède, *Nat.* 41, col. 261; Isid., *Nat.* 42; *De imag. mundi* I, 45, col. 134-5; Barth. Angl. 13, 21 p. 570, 1.
288-290 *Cf.* Robert Grosseteste, *Questio* p. 19.
290-292 *Cf. id. ibid.*

Ad App. I (ms. P²): *cf.* Adélard de Bath, *Quest. nat.* 51 p. 50.

III, 2 que natura estivalium pennatorum in hyeme deficiencium et conversim

1   Hic ponit quintam questionem. Dicitur quod aves apparentes nobis in estate et non in yeme vel econverso non elongantur a nobis, sed nobis non apparent propter pennarum et plumarum mutacionem, ut patet in lucina que in yeme habet pectus rubeum et non cantat; in estate autem habet varium et cantat. Quedam etiam   5 apparent in una regione per yemem, ut grues, gavie et galli nemorum; in estate autem in aliis regionibus.

2   Unde dicitur a commentatore quod quedam aves habentes quasdam plumas frequentissime cantant, post mutacionem vero plumarum nullo modo cantant. Quedam tamen propter debilitatem caloris   10 vitalis frigore yemali adveniente defficit in eis calor vitalis et sic deficiunt ipse et iacent quasi mortue per yemem in cavernis. Verno autem tempore adveniente confortatur et resuscitatur calor naturalis in eis sopitus et sic resurgunt, ut patet in yrundine et cuculo.

III, 2   **1**   BM¹TLG²M; P² n'a que la première partie (jusqu'à *mutacionem*, ligne 3);
L²G¹ n'ont que ce premier argument, à peu près dans les mêmes termes.
2   BM¹TLM; G²P² n'ont que la première phrase (jusqu'à *cantant*, ligne
9-10).

III, 2   **1**   1 *post* questionem *add.* que satis patet in littera M et M¹   2 vel] aut
M¹M et T   2 econverso] conversim T   4 *post* patet *add.* scilicet M
5 habet] *om.* LG²   5 *post* habet *add.* pectus M   5 cantat] *om.* T   5
post cantat *add.* in yeme et est gallice garderole M   6-7 per — estate] M¹
eliminavit per formulam va—cat   6 per yemem] *om.* T   6 gavie *correxi*
gauce B gante M¹ grante M et gaude LG² *om.* T   7 autem — regionibus]
om. M¹   7 *post* aliis *add.* sive in propriis G²
2   8 Unde] ut M   8 quedam] quidam BM¹   8-9 quasdam] *om.* M   11
adveniente] veniente T   11 *post* adveniente *add.* deficiunt et M   12
post mortue *add.* essent M   13 resuscitatur] restituatur M   13-4 natu-
ralis] vitalis L vitalis sive naturalis TM   14 *post* eis *add.* ante M   14
sopitus] -tis L   14 ut] sicut T

III, 2   Indications des sources et passages parallèles

La même question se trouve dans le *Speculator* 67-8, *cf.* B. Lawn, *I Quesiti
Salernitani* p. 192. Sur la migration des oiseaux, *cf.* Frédéric II, *De arte
venandi cum avibus, ed.* C. A. Wood/F. Marjorie Fyfe, Stanford Univ. 1943,
ch. 17-21, inconnu de l'auteur de notre commentaire.

    10-14   *Cf.* Thomas de Cantimpré, *Nat. rer.* 5, 1; *Quest. Salern.* N 64C (sur
la *ciconia*).

III, 3a quid grandinis rotunditas, (b) nivis prolixitas, (c) nebule potencia

a 1   *Quid grandinis rotunditas.* Grandinem esse rotundam dicit Seneca
et fieri de nube aquosa et inde formam rotundam accipere ex eo
quod ad modum stillicidii conglomeratur. Aristotiles tamen vult
quod grando nichil aliud est quam suspensa glacies et per spacium
densi aeris evoluta equaliter in orbem rotundatur.   5

2   Sciendum est quod figura eius quandoque magis accedit ad
rotunditatem et quandoque minus. Quandoque etiam eius quantitas
est maior, quandoque minor. Rotunditas enim eius et parvitas
sunt propter decensum grandinis a locis longinquis. Quando enim
descendit grando ex longinquis a terra, moratur tempore longo in   10
aere calido circa locum medium et ideo in lateribus ubi cum inpetu
tangit aerem calidum per quem est motus eius, resolvitur et rotundatur et minoratur quantitas eius ante adventum eius ad terram
et cadit illa grando parva cum plurima aqua que resolvitur ex ea
et quelibet pars ipsius invenitur quasi liquefacta. Grandini autem   15
que decendit ex locis que sunt propinqua terre, contrarium accidit,
quia nec parva est nec omnino rotunda eo quod non multum
elongatur a terra et ideo ab ea parum vel nichil resolvitur et sic
cadit magna et non penitus rotunda.

3   . . . et est que sit causa rotunditatis grandinis. Et est huius causa   20
quod apud generacionem grandinis est calor extra equaliter circum-
dans fugans frigus ad interius nubis et inmultum constringit et ita
facit duriciam et quia calor exterius equaliter circumdat, ad eius
effigiem generatur rotunditas. Unde stille pluvie ventis et frigore
conglaciate in aere coagulantur et in lapillos grandinis mutantur.   25
Vel dicatur quod causa rotunditatis grandinis est frequens revolucio
eius in aere.

b 1   *Nivis prolixitas.* Hic ponit aliam questionem. Nix, ut dicit Seneca,
non tam solida est ut grando nec secundum magnam altitudinem
cadit, sed circa terram eius inicium est nec diu per aera volat sed   30
ex proximo lapsus eius est.

2   Intellige quod causa efficiens nivium concomitans nivem est
frigus excellens non expulsum ad unum locum sed sparsum per aera.
Et ex hoc potest perpendi quare lata est sicut lana. Causa autem
concomitans disposicionem eius que est mollicies, est calidum   35
paulatim in extensa nube sive quod nix fit ex vapore in quo inter-
cipitur calor, ut innuit Aristotiles.

III, 3 **a 1** M¹BTLMG²P²   **2** BM¹TLM   **3** L²G¹
        b 1 TM¹BLMG²; P² n'a aucune réponse à cette question   **2** TM¹B
        LM

III, 3 **a 1** 1 Grandinem — Seneca] Hic ponit Seneca grandinem rotundam LM
1 *post* Seneca *add.* in libro de sua phisica G²P²   2 fieri] generari P²   2
inde] *om.* P²   2 accipere] recipere L   3 conglomeratur] -antur G²
glomeratur M¹   3 vult] dicit G²P²   3 grando] *om.* L   4 aliud] *om.* M
5 evoluta M¹L -lata BTG² devoluta P² evolvitur et M   5 in orbem] molle M¹
2 6 figura eius] signum eius vel figura LM   9 grandinis] *om.* L   9
longinquis] longissimis M   10 longinquis B -quo M¹TLM   11 calido]
om. M   11 ubi] eius LM   12 tangit] -unt M   12 est] ibi M *om.* L
14 parva — aqua] pluvia M   14 plurima L pluvia *ceteri*   14 aqua
M¹B aque T   15 ipsius] eius T illius M   15 invenitur] -iatur M   16
de(s)cendit] discurrit L discurrit vel descendit M   16 que sunt propinqua]
propinquis M¹   17 *pr.* nec] *om.* M¹L   18 elongatur] -antur M   18
parum] parvum M
3 22 fugans L² fugiens G¹   22 inmultum L² multum G¹
b 1 28 Hic — questionem T *om. ceteri*   28 ut] enim B   29 est]
om. L   29 secundum T per *ceteri*   29 magnam] magnitudinem vel M
30 volat T est M (*post* nec) *om. ceteri*
2 32 intellige] nota B   32 nivium TB nivis M¹ nubium M   32 con-
comitans] communicans T   33 sparsum] spissum M   33 aera T aerem
ceteri   34 ex] *om.* T   34 quare] quia T   34 autem] est T   35 con-
comitans] communicans T   36 *post* nube *add.* nivis M¹BL   36 sive] aut
L eo T   37 ut] et L   37 innuit] vult M

III, 3 Indications des sources et passages parallèles

a 1-3 *Cf.* Sénèque, *Nat. hist.* IV B 3, 2-3.
    3-5 *Cf. id. ibid.* IV B 3, 6 et 5; Arist., *Meteor.* A 12, 347 b 36.
    6-19 *Cf.* Arist., *Meteor.* I, 12.
    9-19 Albert le Grand, *Meteor.* II, 1, 27. Pour 9-12, *cf.* aussi Isid., *Nat.* 35,
1; Barth. Angl. 11, 10; Raoul de Longchamps p. 93. Pour 15-18, *cf.* Raoul de
Longchamps p. 94.
    21-22 *Cf.* Raoul de Longchamps p. 93, qui suit Abu Ma'shar, *De magnis
coniunctionibus* ..., Tract. IV f° E(VI)r. De cancro. (Venise 1515).
    24-25 *De imagine mundi* I, 60, col. 137; *cf.* Bède, *Nat.* 34.
b 28-31 Sénèque, *Nat. hist.* IV B 3, 5.
    32-33 Albert le Grand, *Meteor.* II, 1, 18.
    34 *Cf. id. ibid.* II, 1, 19.
    34-36 *Cf. id. ibid.* II, 1, 18.
    36-37 Arist., *Meteor.* A 11, 347 b 23-8; *cf.* aussi Barth. Angl. 11, 11
p. 301; Raoul de Lonchamps p. 93 (qui suit Avicenne).

3   . . . et est que sit causa prolixitatis in nive. Cuius causa est quod nix in aquarum vapore nondum densato in guttas sed gelu prerumpente formatur. Intellige etiam quod apud generacionem nivis est   40 calor intra fugans inquantum potest frigus sparsum exterius non permittens ipsum multum constringere et ita relinquitur mollicies eius et prolixitas.

4   In ea vero parte (*cf.* b 1) concipitur nix, ut ait Aristotiles, quia vicina terris est. Et ideo minus alligatur quia minore rigore choit,   45 nam vicinus aer plus habet frigoris quam ut generetur ibi aqua et minus quam ut duretur in grandinem. Hoc medio frigore non nimis intenso nives fiunt coactis aquis.

c 1   *Nebule potencia.* Nota quod tria sunt genera nebularum. Quedam enim provenit ex locis humidis in estate, que si ascendat causa est   50 pluvie, si autem descendat causa vel pocius est signum caloris. Eodem autem modo est de illa que ex fluviis procreatur in autumpno, que autem nebula ex locis humidis provenit. Si fuerit diu durans, fruges vicinas corrumpit ita quod panis ex eo factus amarus est in gustu, potus autem nauseam generat. Tercia autem species ex mari   55 provenit in yeme sole existente in aquario ex qua maxima solet fieri pluvia.

2   . . . et est que sit potencia ipsius nebule et intellige quod nebula fit dum humide exalaciones vaporaliter in aere trahuntur et radiis solis ad terram repelluntur. Est ergo eius potencia quod propter eius   60 levitatem faciliter ascendit, solis etiam presencia facilis est eius descensus.

3 G¹L²   **4** G²
c 1 M¹BTLMG²P²   **2** L²G¹

---

3 39-40 prerumpente G¹ per-L²   43 eius G¹ eiusdem L²
c 1 49 quod tria sunt] tria esse G²   49 nebularum] nubilarum L   50
provenit] -niunt P²   50 ascendat] -ant P²   50-1 causa — pocius]
om. T   51 descendat] -ant P²   51 causa vel] *om.* M   51 vel pocius . . .
signum] *om.* G²P²   52 Eodem BLMG²P² eo T secundo M¹   52 est] *om.*
G²P²   52 illa] ista M alia L   52 ex] de T   52 fluviis] fluminibus B
fluminis L pluviis P²   52 procreatur] -antur P²   53 autem] semper M
om. G²   54 *post* ita *add.* scilicet P²   54 ex eo] de eis G²P²   55 nau-
seam] menstrua M   56 *post* provenit *add.* que G² quia P²   56 *post*
aquario *add.* et capricorno P²   56-7 ex — pluvia] nimis solet esse continua
56 *post* qua *add.* specie M
2 58 sit L² est G¹

38-40   Bède, *Nat.* 35; *De imag. mundi* I, 61, col. 137.
40-43   *Cf.* 21-2.
44-48   Sénèque, *Nat. hist.* IV B 12, 1. Pour 44-5, *cf.* Arist., *Meteor.* A 12,
348 a 26-9; *cf.* aussi Barth. Angl. 11, 11 p. 300-1.
c 50-51   *Cf.* Raoul de Longchamps p. 91-2.
58-60   *De imagine mundi* 63, col. 137; *cf.* Barth. Angl. 11, 4 p. 491.

III, 4 an virtus lapidum sit ex complexione an ex natura

1   *An virtus etc.* Et est utrum virtus lapidis sit ex componentibus an ex aliena natura. Huius solucio est quod est ex virtute consequente speciem que est diversa in specie differentibus.

2   Dicunt teologi quod deus qui dedit virtutem tribus: verbis petris et herbis, unde versus: virtus in verbis in petris est et in herbis.   5
Alii dicunt quod virtus illorum ex complexione provenit sed humano intellectui adhuc incognita sed natura occulte operatur in hiis.

III, 4 **1** L²G¹T; M¹BLMG² n'ont aucune réponse   **2** P²

III, 4 **1** 1 utrum] an T   1 lapidis] -dum G¹   2 *alt*. est] *om*. T   2 consequente] sequente T   3 specie differentibus] *inv*. T
2 5 virtus *correxi* visus P²   6 ex complexione *correxi* explexione P²

III, 4 Indications des sources et passages parallèles

1 *Cf*. Albert le Grand, *Mineral*. II, I, 2 *Quidam autem dixerunt ab elementis componentibus lapides tales inesse virtutes* ...

2-3 *Cf. id. ibid*. II, I, 4.

5 Walther 33675; *cf*. Marbode, *Liber lapidum* prol. 23 *Ingens est herbis virtus data, maxime gemmis*.

6 *Cf*. Albert le Grand, *Mineral*. II, I, 2 *Dicunt etiam isti quod si operationes istae elementis attribuerentur, sicut quidam dixerunt Pythagorici, aut elementorum complexioni*, ...

III, 5 an adamantina attraccio ex componentibus simul an ex unius sit incursu

1   *An adamantina etc.* Et est si attraccio adamantina sit per naturam et approximacionem ferri et adamantis aut unius tantum. Et est veritas quod ex utriusque incursu et ferro determinato et spacio.

2   Intellige quod in generacione adamantis incorporatur lux supra-celestis et in generacione ferri similiter. Sed in generacione adaman- 5 tis incorporatur vehementi et nobili incorporacione. In ferri autem generacione incorporatur debili incorporacione propter maiorem materie receptibilitatem in ferro magis quam in adamante. Unde illa lux incorporata est sub nobiliore esse in adamante quam in ferro. In ferro autem est illa lux ligata materie et tamquam in potencia 10 et non potest exire in actum nisi fuerit adiuta per speciem lucis celestis existentis in adamante. Quando autem emissa est species lucis sive virtus ab adamante in ferrum per accionem lucis celestis, repperit virtutem sibi similem et unit se sibi unione vehementi et iterum regreditur per naturam lucis ad illam (*lege* formam ?) in 15 qua est sub mobliori (*lege* nobiliori) esse, et hoc est ad adamantem, et eius regressum necessario sequitur ferrum. Preterea nota quod quod attrahit ferrum sub quacumque distancia vel quacumque quantitate, sed debita quia virtus uniuscuiusque forme variatur secundum maioritatem et minoritatem illius in quo est et secundum 20 propinquitatem et remocionem illius in quo agit. Unde secundum quod eius virtus minoratur et maioratur, attrahit sibi ferrum.

III, 5   **1** L²G¹T; M¹BLMP² donnent, en une phrase, une réponse semblable.
         2 G²

III, 5   **1** 2 approximacionem] -mitatem T   2 aut] an T
         2 19 uniuscuiusque *correxi* uniuscuius G²

III, 5   Indications des sources et passages parallèles

   4-5   *Cf.* Pierre de Maricourt, *De magnete* I, 10 p. 219 *Ex his ergo manifestum est quod a partibus celi partes magnetis virtutem recipiunt.*

III, 6 (a) quid pluvie dulcedo, (b) hyemalis putei caliditas, estivalis
frigiditas

a 1   *Quid pluvie.* Nota quod pluvia causatur ex nube aut ascendente ex
aqua dulci aut ex aqua salsa. Si primo modo, non est mirum si aqua
pluvie sit dulcis, cum materia sit dulcis. Si secundo modo, tunc fit
descendendo per aerem quia in aere dulci et humido frequenter ante
casum revolvitur. Aque etiam egredientes amari perveniunt ad nos   5
dulces propter earum frequentem depuracionem per cursus earum in
poris subterraneis.

  2   . . . et est cum pluvie ex amaris sint hauste, que sit causa dulcedinis in illis. Ad hoc notandum quod ymber ex nubibus descendit.
Dum enim guttule in maiores guttas coeunt, aeris natura non ferente   10
nec vento inpellente nec sole dissolvente ad terras dilabuntur; lenta
autem et iugis defluxio pluvia, repentina et preceps nimbus vel
ymber nominatur. Que licet de amaris aquis maris sit hausta, de
solis igne et aere decocta dulcessit et ita aer purgans et motus sunt
causa dulcedinis. Preterea non elevatur nisi per partes subtiles   15
ipsius aque marine et ita si ex amaris sint hauste, tamen habent
dulcedinem. Quod aque dulces sunt in mari patet si vas cereum
opturatum ponatur in aqua salsa per aliquod spacium et extrahitur,
invenientur aque dulces in eo.

  b   *Putei hyemalis.* Hic subditur alia questio et est que sit causa cali-   20
ditatis putei yemalis et frigiditatis estivalis. Huius solucio est
quod in estate laxantur pori terre et tunc subintrat aer et per
venas terre pervagatur. In hyeme constringuntur et includitur aer
calidus ex quo calefiunt aque inferiores. In estate vero laxantur
pori ita quod aer calidus inclusus per constrictionem yemis recedit   25
et ita naturalis frigiditas terre et aque remanet in partibus inferioribus

III, 6   **a 1**   TLM¹M; B s'arrête définitivement au mot *nube* (ligne 1); P² est très
bref: *dulces fiunt per motum et per purgationem aeris*; G² n'a aucune réponse.
2 G¹L²
b   G¹L²T; M¹MLG²P² ont une réponse semblable.

III, 6   **a 1**   1 ex] a L M   1 aut] *om.* M¹M   2 *alt.* aqua] *om.* L   2 si] sed
LM   3 tunc fit] conficitur dulcis LM   4 aerem T aera LM¹M   4
in] *om.* L   4 aere] aera T   4 humido] -da T   5 *post* casum *add.* aqua
M   5 revolvitur LM resolvitur TM¹   6 per cursus earum T *om. cet.*
2   10 *post* guttule *add.* sint hauste G¹   13 Que licet *correxi* quelibet G¹L²
15 per G¹ *om.* L²   17 sunt G¹ *om.* L²
b   21 frigiditatis] -tas L²   24-7 in — inferioribus] *om.* T

III, 6   Indications des sources et passages parallèles

a   3-5   *Cf.* Isid., *Nat.* 33, 1.
9-14   *De imagine mundi* I, 59, col. 137; *cf.* Bède, *Nat.* 33, col. 253. Pour
9-10, *cf.* aussi Guillaume de Conches, *Phil.* 3, col. 76.
17-19   *Cf.* Arist., *Meteor.* B 3, 358 b 34; Priscianus Lydus, *Solut.* 6 p. 74.
b   20-27   *Cf. Questiones Salernitane* B 117, P 11, P 26; Guillaume de
Conches, *Phil.* 3, 19, col. 83; *Dragm.* p. 204-5. Un peu différente est l'explication donnée par Marius, *De elementis* II p. 139, 7-14; *De imag. mundi* I, 47,
col. 135; Thomas de Cantimpré 19, 4, 36-8; Barth. Angl. 13, 1 p. 557; Guillaume de Conches, *Dragm.* p. 205 (ajoutée à la première réponse). Cette
dernière explication est basée sur l'idée que deux éléments contraires se
fuient. Pour cette question, *cf.* Lawn, *I Quesiti Salernitani* p. 227 (*ad* 44) et
Dales dans Marius, *De elementis* p. 32.

III, 7 (a) visus triplex emissio, (b) colorum concrecio.

a 1   *Visus triplex etc.* Hic ponitur alia questio et est que sit causa
triplicis emissionis visus. Ad hoc dicunt quidam quod visus fit
extramittendo, ad quod tria exiguntur, scilicet radiorum emissio et
solidi obstaculum et coloratum actu, et ita ista tria exiguntur ad
hoc quod compleatur visio.   5

2   Aliter formatur questio sic, scilicet que sit causa quod triplici
genere fit visus. Ad hoc dicitur quod quidam quanto propinquius
vident, tanto subtilius et melius. Et hii dicuntur habere albugineum
humorem dominantem sive terram elementum. Quidam autem
quanto remocius, tanto melius dummodo ad mensuram. Et hii   10
dicuntur habere cristallinum humorem sive ignem elementum
dominantem, quorum quidam tantam habent superhabundanciam
quod de nocte vident ut murelegi. Quidam autem quanto mediocrius tanto melius et hii dicuntur habere vitreum humorem dominantem sive aera vel aquam elementum.   15

b   *Colorum concretio.* Hic ponitur alia questio et est ultima, scilicet
que sit compositio et quomodo fiant medii colores ex extremis. Huius
autem solutio patet per Aristotilem qui ponit septem esse colores,
sicut septem sapores, in libro de sensu et sensato. Unde duo extremi,
scilicet album et nigrum, conficiunt quinque colores medios et   20
per equalem proportionem efficitur quartus qui equaliter fit ex
utrisque vel distat ab extremis. Alii autem duo per maiorem approximationem ad albedinem et per albedinis maiorem participationem
constituuntur. Alii autem duo per maiorem approximationem et
participationem alterius extremi conficiuntur.   25

Vel aliter potest hec questio formari ut queratur que sit concretio
colorum, hoc est que sit causa apparitionis diversorum colorum in
materia, et ad hoc sonat magis hec litera 'colorum concretio etc.',
ponendo, sicut ponit Aristotiles, septem esse colores. Huius solucio
patet per id quod vult autor sex principiorum in fine intendens quod   30
album inponitur a pura albedine, nigrum autem ab eius privacione
per equalem participationem extremorum et duorum colorum mediorum, hinc inde per maiorem participationem extremorum.

Istius tamen solutio questionis secundum positionem medicorum
non est tante facilitatis, quia ponunt maiorem multiplicationem   35
specierum coloris secundum quod scribitur: 'Bis deni urinam
possunt variare colores'. Intellige etiam secundum istos multiplicem
fieri distinctionem colorum. Quedam namque secundum qualitatem,

III, 7   **a 1** L²G¹T; MG²P² ont une réponse semblable; M¹BL n'ont aucune réponse à cette question (**a** et **b**).   **2** L²G¹; T aussi contient ce passage, mais sous une forme très mutilée, parce que le coin du feuillet a été arraché; MG² ont la même réponse sous une forme un peu différente.

b G¹L²; G²M ont un passage qui montre que le mot *concrecio* posait des problèmes: *et quomodo forme concrete se habeant cum suo subiecto si potencia scilicet (prima M) cognicio habeatur per formam tantum extrinsecam aut per subiectum sine forma[m] aut per subiectum informatum. Si vero habeatur in litera concreacio, tunc vocat concreacionem formarum tam substancialium quam accidentalium de quibus magna est apud dialeticos disputacio.*

III, 7   **a 1**   2 dicunt] dicit T   4 solidi] -dum T   4 quod] ut T
2   6 Aliter L² vel aliter G¹   8 vident L² videret G¹
b   21 quartus *correxi* quintus G¹L²   28 ad G¹ *om.* L²   35 quia G¹ quod L²   49 subrubeus¹ rubeus G¹ *inv.* L²   50 ksyanos G¹ kyanos L² 57 fleuma L² flegmam G¹

III, 7   Indications des sources et passages parallèles

a   2-5   Ceci ne correspond pas entièrement à la théorie de la vision que propose le *Timée* de Platon: émission de rayons visuels par les yeux, ren contre avec un obstacle coloré, retour et concentration des rayons (*cf.* Calcidius, *Comm.* 45 C 3 *sqq.*, p. 41, 20 *sqq.*), ni aux trois éléments nécessaires à la vision que mentionne Guillaume de Conches (*Phil.* 4, 26, col. 96; *Dragm.* 26, col. 96) *interior radius, exterior splendor, obstaculum rei.*

6 *sqq.*   La même matière chez Urso, *Aphor.* 38 p. 69, mais l'explication est différente.

7-15   Sur la puissance de la vision en rapport avec les *humores oculi, cf.* Roger Bacon, *Opus Maius* V 1, 1-2 p. 85 *sqq.* (*humor glacialis ... albugineus ... vitreus*). Barthélemy l'Anglais (*Rer. propr.* V, 5) mentionne les mêmes *humores oculi* (*humor crystallinus ... vitreus ... albugineus*), mais ne les met pas en rapport avec l'acuité de la vision.

b   18-19   Arist., *De sensu et sensato* 442 a 19-21.

19-25   *Cf.* Ptolémée, *Optica* II, 24 p. 23-4 et la note de A. Lejeune qui signale l'origine péripatéticienne de cette théorie.

29   *Aristoteles*: voir ci-dessus 18-9.

30-33   *Liber sex princ.* 93; *cf.* aussi Robert Grosseteste, *De coloribus* p. 78, 15-7.

34 *sqq.*   Sur la couleur des urines et sa signification, *cf.* Gilles de Corbeil, *De urinis* 19-207; Urso, *De urinis* p. 283-9; Theophilus, *De urinis* 6-14 p. 83 *sqq.*; Maurus de Salerno 22-5 p. 37-9; *Quest. Salern.* B 318, 319, 320, 322-5.

36-37   Gilles de Corbeil, *De urinis* 19 p. 5.

44 *sqq.*   *Cf.* Maurus de Salerno 22-5 p. 37-9.

quedam secundum naturam decoctionis et digestionis, quedam
secundum proprietates humorum. Secundum qualitates fit dis-   40
tinctio quia alii sunt intensi, alii remissi, alii mediocres. Remissi
indicantur omnes a subcitrino inferius, intensi a rufo superius,
mediocres subcitrinus citrinus subrufus rufus.

In quadam complexione secundum naturam decoctionis et
digestionis fit hec divisio. Colorum alii significant mortificationem,   45
ut lividus color et niger. Alii indigestionem, ut albus lacteus glaucus
caropos. Alii principium digestionis sed non perfecte, ut subpallidus
pallidus subcitrinus. Alii perfectam digestionem, ut citrinus subrufus rufus. Alii excessum digestionis, ut subrubeus rubeus rubicun-
dus subrubicundus. Alii adustionem, ut inopos ksyanos. Alii mortifi-   50
cationem, ut viridis et niger. Sed obicitur quia in nigro est inceptio
et in eodem terminatio et ita eiusdem repetitio. Sed dicatur qoud
alius est color qui fit ex mortificatione caloris, alius qui fit ex
nimia et ultima adustione et ita secundum diversitatem causarum
distinguenda est diversitas causatorum.   55

Distinctio autem secundum humores evidens est. Quidam enim
coleram, alii sanguinem, alii fleuma, alii melancoliam significant,
sed ad significandum humores debet fieri colorum et substantiarum
coniunctio.

APPENDICE

LE COMMENTAIRE D'ENGELKINUS

Sigles:

B = Basel, Univ. Bibl. O. IV. 35 f° 76ᵛ-77ʳ (incomplet) (vers 1260)
L = Leiden, Univ. Bibl. B.P.L. 217 f° 73ᵛ-76ᵛ (XIVᵉ s.)

Le manuscrit B étant malheureusement incomplet, L a servi comme manuscrit de base. La première partie de l'apparat est positive: dans la seconde, après l'arrêt de B, le signe] est utilisé pour les corrections d'éditeur et est suivi de la lecture du ms. L. La même chose est vraie pour la question I, 7 qui ne se trouve que dans le ms. B.

L'apparat critique contient 1) tous les changements dans le texte du ms. de base, 2) les variantes intéressantes du ms. B.

f° 73ᵛᵃ   Nota. Crato habuit quandam sedem tres distinctiones habentem. In prima distinctione septem questiones erant discripte. Quarum prima talis est: utrum Deus existens in celo empireo posset naturaliter recipere carnem humanam. Ad quam respondens commentator dicit quod sicut impossibile est homini suscipere formam asini 5 secundum naturam, sic fuit impossibile Deum recipere formam humanam, sed mistice et miraculose bene recepit, quia Deus potest ultra naturam. Et dicitur in septimo phisicorum quod si omnes homines destructi essent, Deus non posset transmutari ad aliam speciem, sive ad alium hominem, secundum naturam, quia gene- 10 ratio hominis fit ex infusione spermatis naturaliter. Ipse autem Deus miraculose et mistice potest transmutari ad alium; quod patet in Adam, quem creavit ex nichilo.

Secunda questio est utrum angeli qui Deo serviunt, possint recipere carnem humanam secundum naturam. Ad illam respondet com- 15 mentator sicut ad primam. Ad pleniorem autem huius intelligenciam notandum, sicut dicit Philosophus, quod intellire et esse angelorum est ab ipso creatore; et illud esse est spirituale et non est corporale; unde patet quod secundum naturam non possunt assumere humanitatem sed mistice et miraculose. 20

Tercio utrum acquiescendum sit Aristotili qui posuit unicum ce-

---

1 Crato L Thraco B   1 distinctiones B -ne L   2 discripte B discripte sive desculpte L   5 asini L asininam vel caninam B   6 formam L carnem B   10-11 generatio B genus L   12 *post* potest *add.* ad aliam speciem *in rasura* L   14 Deo L uni deo B   14 possint B possunt L
10 humanitatem L carnem humanam B   21 posuit B ponit L

lum esse, quia dixit totum mundum terminari ad firmamentum et
ultra illud nihil et ideo posuit unum celum, an theologis qui ponunt
f° 73vb triplex celum. Unum cristallinum, unde dicitur: 'qui extendit
celos super aquas sicut pellem', unde procedit ros. Secundum stel- 25
latum dicitur, unde 'multiplicabuntur stelle celi', id est firmamenti.
Tercium est empireum in quo sedet Deus in carne humana. Quidam
addunt quartum aereum, unde dicitur 'volucres celi' id est aeris.

Si tamen acquiescendum est the<o>logis, tunc queritur amplius utrum termini eius sint continui vel contigui secundum quodli- 30
bet singillatim sumptum. Ad hoc respondet commentator dicens
'cum rediero de partibus illis et qualitatem prospexero, solutionem
apponam' et per hoc excusat se. Et nota differenciam inter continua
et contigua. Continua sunt quorum ultima unum sunt; contigua
vero sunt quorum ultima sunt cum discretione, id est cum medio. 35
Notandum tamen quod termini eorum sunt contigui ad modum cepe.
Cepa multas habet pelliculas, quarum una semper involvitur alteri.

Et si acquiscendum est Aristotili, tunc queritur amplius, cum
partes totius localiter moveantur, quare non totum. Ad hoc dicendum est sicut dicit Aristotiles quod extra omne totum nihil est. Unde 40
cum partes tocius in loco moventur quia omne quod est in loco
movetur. Quod autem partes tocius sint in loco, hoc patet quia
terra est in aqua, aqua in aere, aer in ethere, ether in celo. Extra illud
nihil est. Et sic patet quod partes tocius moventur sed totum non
movetur, quia non est in loco per se sed per accidens quia motis 45
partibus movetur etiam totum et moto primo mobili omnia moventur. Idem etiam et in alio a Philosopho dicitur quod anima et
celum per accidens moventur quia anima non movetur per se nisi
moto corpore. Sic etiam est de celo. Et sic patet illud.

f° 74ra   Quinto queritur cur unum elementorum mutetur in reliquum. Ad 50
hoc dicendum est quod hoc sit propter rarefactionem et condensa-

---

22 terminari ad L esse clarum usque ad B   22 firmamentum B unum
fundamentum L   23 posuit *correxi* novit L   23 et ideo — celum L et
cum vocavit unum celum proximus est theologis qui posuerunt esse triplex
celum B   24-5 extendit — pellem B excludit pellem super aquas L
25-6 stellatum L firmamentum B   27 empireum B emisperium L   29
tamen *correxi* tunc LB   30 sint B sunt L   33 *post* se *add.* de solucione
B   34 unum L simul B   35 discretione B divisione L   37 Cepa
correxi cepe L quod B   37 pelliculas L plicaturas B   39 localiter B
totaliter L   40 omne totum B esse et totum L   43 ether B et hoc L
46 moto B in toto L   48-9 nisi moto corpore *correxi* sed in toto corpore L
nisi motor per se B   50 Quinto B quarto L   50 mutetur B -atur L

tionem. Propter rarefactionem, ut patet in aqua purissima; quando
ponitur ad solum, recipit naturam terream. Propter condensationem
quod patet in curru nimis honerato quod propter gravitatem eius
aer mutatur in ignem. Et sic patet illud. 55

Et queritur etiam utrum ea sint elementa que primo exierunt in
esse. Ad hoc respondet quidam quod propter peccatum hominis
receperunt obscuritatem, ut patet in sole quo obscuratus est.
Aliter autem respondendum est, et melius, quod propter continuam
transmutationem unius elementi in reliquum non habemus ele- 60
menta sed elementata.

Sexto queritur, cum unum elementorum accipiat caliditatem,
sicut aqua, quare ignis non frigiditatem. Ad hoc respondet quidam:
licet aqua accipiat caliditatem, illa tamen non est sibi essencialis
sed accidentalis, quod patet. Aqua enim calefacta ponatur ad 65
locum frigidum, redit in pristinam eius naturam. Aliter autem
respondetur, et melius, quod ignis maxime est activus et habet de
forma multum, parum autem de materia. Ergo non potest recipere
frigiditatem. Aqua autem multum habet de materia, parum autem
de forma et ergo recipit caliditatem. 70

ms. B   Septimo si alia regio a nostra sit habitabilis an non. Ad hoc
f° 76ᵛ est dicendum quod duplex est regio, habitabilis, videlicet in qua nos
sumus sive habitamus, et inhabitabilis que est duplex; quedam
enim est inhabitabilis propter nimiam caliditatem, videlicet torrida
zona, quod patet per plagam meridionalem; alia inhabitabilis 75
propter nimiam frigiditatem, quod patet per plagam septentrionalem. Queritur amplius qualiter homines isti gradiantur et qualiter
sit accessus quantusque recessus. Ad hoc est dicendum quod ex quo
est inhabitabilis, tunc nullus ibi graditur neque aliquis erit accessus
neque recessus. 80

ms. L   Secundi vero circuli. In secunda distinctione novem erant ques-
f° 74ʳᵃ tiones. Quarum prima talis fuit: utrum possimus visu comprehendere zodiacum in spera superiori sicut in spera materiali. Ad hoc
dicendum est quod sic. In Arabia enim propter nimiam claritatem
ipsius aeris bene videtur, sed in istis partibus non potest propter 85

52-3 Propter — condensationem L *om.* B   53 solum *correxi* solem L
53 naturam *correxi* materiam L   54 eius L honeris B   62 Sexto B
quinto L   62 *post* caliditatem *add.* ignis B   63 *post* frigiditatem *add.*
aque B   66 naturam *correxi* materiam L statum et naturam B   71-80
Septimo — recessus B *om.* L   71 alia] illa B   81 novem erant B fuerant
L   82 possimus B possumus L   84 *ante* claritatem *add.* nimiam B

9

condensationem aeris. Unde sciendum quod in hyeme plures stelle apparent quam in estate. Cuius ratio est quia in hyeme constringuntur pori terre ita quod aer exire non permittitur, et tunc non obscurat visum nostrum et / ideo videmus plures stellas. In estate autem econverso pori terre aperti sunt et aer exire permittitur et tendit 90 sursum, quia omne subtile tendit sursum et omne grave deorsum et sic obscurat visum nostrum, quod non videmus tot stellas et tantas quam in hyeme. Et hoc non est propter penuriam stellarum, sed propter condensacionem aeris.

f° 74ʳᵇ

Secunda est utrum stelle fixe sint in firmamento an currant in 95 suis circulis ad modum planetarum. Ad hoc dicendum est quod stelle sunt fixe et frequenter stant in suis domiciliis sicut primitus exierunt in esse, quia ad retardandum ipsum firmamentum sufficit motus planetarum. Si enim omnes stelle moverentur, firmamentum nimis retardaretur. Et sic patet illud.   100

Tercio utrum comete rubentes, aliquod prodigium significantes, sint create cum ceteris stellis an tunc primo crearentur cum deberent predicere aliquod futurum et statim in suum cahos revertantur. Unde quod comete dicuntur iuxta similitudinem quia emittunt radios ad modum come. Ad hoc dicendum est quod quidam dicunt 105 quod nulla stel<la> emittat comas nisi Mars solus que quando debet predicere famem sive destructionem alicuius regionis, apparet nigra, quando autem apparet rubea, notat bellum. Alii autem dicunt quod comete sunt create cum ceteris stellis, sed nobis non apparent nisi quando debent predicere aliquid futurum, scilicet famem vel 110 aliquam aliam plagam, et tunc apparent nigre, quando autem bellum, tunc rubee ad modum sanguinis. Alii autem dicunt quod cometa fuerit illa stella que apparuit in nativitate Domini. Et dicitur etiam quod apparet in oriente.

Quarto utrum animata recipiant defectum sive virtutem ex 115 planetis an ex ipsis generantibus. Ad hoc respondendum quod quidam concedunt quod ex planetis et isti habent istam causam pro se

---

90 et aer exire permittitur L *om.* B   94 condensacionem B condencisacionem L   95 sint B sunt L   96 modum L similitudinem B   98 exierunt in esse B exiverunt L   98 quia B item L   99 moverentur B moventur L   100 retardaretur B -entur L   101 significantes *correxi* -ant L *om.* B   103 revertantur B -untur L   106-7 debet B deberet L 107 predicere famem B producere suum cahos L   113 cometa fuerit illa stella que L talis cometa apparuit B   114 apparet L apparuit eo B   115 recipiant B -unt L   116-8 Ad — dicentes B et illi illam causam prosequentes L   118 natus fuit B fuisset L

dicentes quod si aliquis natus fuit sub planeta malivolo, erit malivolus, si autem sub benivolo, erit benivolus, quod patet quia aliquis
natus sub Marte regente in suo domicilio, nisi bonus planeta inter- 120
venerit, erit bellicosus. Si natus sub Iove qui fertilitatem inducit,
fertilis, et sic de aliis. Alii autem concedunt quod ex generantibus et
illi habent hanc causam pro se quod si semen in matrice decisum
fuerit colericum vel fleumaticum, generatum etiam est fleumaticum
vel colericum, et sic de aliis humoribus. 125

Si tunc conceditur quod ex planetis, tunc queritur an secundum
nativitatem vel secundum eventum. Ad hoc dicendum est quod
secundum nativitatem et non secundum eventum, quia si secundum
eventum esset aliter. Si autem conceditur quod ex generantibus,
tunc queritur cum unum generancium sit album reliquum nigrum, 130
quare generatum non album et nigrum fiat. Ad hoc dicendum quod
semen diffusum quandoque ita se habet quod unum in se concludit
aliud et maioris virtutis est quam aliud et secundum hoc generatum
semper assimilatur illi cuius semen includit in se aliud sive sit patris sive sit matris. Et quare generatum in quibusdam assimilatur 135
patri, in quibusdam matri. Ad hoc dicendum est quod semen decisum quandoque sic se habet quod neutrum includit in se aliud, sed
equaliter distribuitur et tunc generatum recipit aliquid a semine
matris et aliud a semine patris. Et queritur quare generatum quandoque neutri assimilatur generancium. Et huius causa est defectus 140
alicuius generancium decumbentis ita quod semen tunc infusum
vehementer movetur et propter vehementem motum transformatur
f° 74ᵛᵇ in aliam / formam patris vel matris. Et notandum quod, sicud
dicunt philosophi, tempore conceptionis mulier potest comprehendere aliquam formam alienam ad cuius similitudinem generatum 145
transformatur, sicut legitur de quodam viro coronam iuxta lectum
habentem et ymaginem dyaboli in ea. Tempore conceptionis
mulier ymaginabatur illam formam ita quod generatum accepit
similitudinem ymaginis apprehense.

---

118 malivolo B -la L   119 benivolo B -la L   120-1 nisi — intervenerit
B vel interveniente aliqua bona planeta L   121-2 Si — fertilis L *om.* B
121 fertilitatem *correxi* famidinem L   123 si B *om.* L   124-5 vel —
colericum L etiam erit colericus, si fleumaticum, erit fleumaticus B   126
post queritur *add.* amplius B   129 quod ex generantibus B parentibus L
130 *post* queritur *add.* ulterius B   132 diffusum L infusum B   132 ita
B in (?) L   132-3 quod — et B unum quod L   134 aliud B quod L
137 quandoque B quando L   140 *post* est *add.* quod L   144-5 comprehendere L apprehendere B (*cf.* p. 5, 4)   145 *post* aliquam *des.* B

Et nota quod hic oritur quedam questio que talis est: quare se- 150
men decisum transformaretur in unam <formam> determinate et
non in oppositam. Ad hoc dicendum est quod in semine deciso
quedam latet virtus que transfertur et deducit semen in unam formam determinate et non in aliam, et talis virtus laborat in semine,
sicut manus figuli in olla, quod si non esset verum, semen se haberet 155
indeterminate ad plures formas. Et hoc bene testatur Aristotiles
in tercio Phisicorum dicens quod semen olme in olmam et semen
hominis in hominem.

Et quare hoc est quod tempore conceptionis mulier possit comprehendere alienam formam ad cuius similitudinem generatum forma- 160
tur. Commentator non recitat, sed breviter se excusat dicens quod
melius sit omnino silere quam temere diffinire.

Nota quod triplex est nativitas: prima conceptionis, secunda
egressionis ex utero, tercia regenerationis secundum Nicomedum
cui dixit Dominus: «Ni<si> quis renatus fuerit ex aqua spiritus 165
sancti non intrabit etcetera».

Questio quinta est quantum motus unius planete distat a motu
alterius et que est coniunctio eorum. Solucio patet per Marcianum
in astrologia et distinguitur quantum spacium unusquisque planeta
suo cursu occupat. Notandum tamen quod motus Saturni planete 170
30 annis, Iovis autem XX annis, Mars autem duobus annis complet

f⁵ 75ʳᵃ suum cursum,/et sic de ceteris.

Sexta an Venus et Saturnus ex opposito venientes mutuo se re-
tardent. Cuius solucio patet quia, sicut dicitur, planetarum quidam
sunt stationarii, quidam retrogradi propter malivolenciam alterius 175
planete oppositi, quandoque fiunt processivi. Unde Saturnus
quandoque retrogradus est propter benignitatem Veneris. Quod
autem Venus sit planeta benignus, hoc testatur Ovidius dicens:
«Quem creat alma Venus, fit corde fit ore serenus». Nota de Marte:
«Militat ad solem Mars iunctior urbibus altis, sepe super reges pro- 180
digiale rubens».

Alia cum ventus australis sit calidus naturaliter et siccus, quare
nobis contrarius apparet. Cuius solucio est quia transit per torridam
zonam in qua temperatur eius frigiditas et siccitas, et ideo cum

---

162 temere] tenere L   164 egressionis] congressionis L   167 quinta]
quarta L   168 et que] a qua L   169 unusquisque] uniuscuiusque L
171 Iovis] movis L   173 Sexta] quinta L   176 processivi] processus
situs Veneris L   180 iunctior] micior L (*ante* Mars)   180 urbibus]
viribus L   180 super] sunt L

ad nos pervenit, calidus est et humidus. Nota quod quatuor par- 185
tibus mundi quatuor sunt venti. Quorum parcium una est oriens
que est calida et humida, cui respondet zephirus qui teutonice appellatur nortwint. Alia est occide<n>s que est frigida et sicca, cui
respondet auster qui teutonice vocatur westerwint. Tercia est meri-
dionalis que est sicca et calida, cui respondet ventus qui teutonice 190
vocatur sudewint. Quarta est septentrio que est frigida et humida,
cui respondet aquilo qui vocatur wesnordeswint.

Octavo que sit connectio elementorum proportionalis. Cuius
solucio patet <per> Aristotilem dicentem quod connectio elementorum fit per qualitates covenientes. Et nota quod ad quodlibet 195
generatum concurrunt quattuor elementa que in potissimo suo statu
sunt equaliter proportionata. Si enim unum preordinaretur alteri,
ipsum generatum differretur. Et nota quod connexio elementorum
f° 75rb dupliciter potest accipi: / penes qualitatem, et hinc est quod ignis
sit calidus et siccus cum aer sibi vicino nectitur per caliditatem, 200
differt autem per humiditatem. Aer enim est humidus et calidus;
aqua vero humida et frigida connectitur aeri per humiditatem,
terre vero per frigiditatem. Terra vero frigida et sicca connectitur
igni per siccitatem. Vel accipitur penes quantitatem, et hoc dupliciter
aut per condensationem vel rarefactionem. Per condensationem 205
sicut est in aere, per rarefactionem ut unus pugillus terre per densi-
tatem suam, coactus ad raritatem pugillorum aque, erit sub decu-
plis, id est decies, in ea contentus. Similiter de alii<s> secundum
ordinem, ita ut ignis uterius (sic) factus est extra (sic) per ordinem
centuplo respiciat terram. 210

Nono per quantum temporis luna perficit cursum suum, similiter
et sol, et quos effectus habent in istis inferioribus. Igitur dicendum est quod sol perficit cursum suum in anno. Luna autem propter
sui velocitatem perficit in mense. Sol etiam multos habet effectus in
istis inferioribus, quia per eius approximationem fit estas, ver, 215
hyems, automnus, nox, <dies>. Unde: «Sol tempora dividit
anni». Sol etiam alium effectum habet, sicut dicit Philosophus
(*Phys.* B2, 194b13), quod sol generat hominem et homo. Luna
habet in istis inferioribus triplicem effectum, quia secundum eius

187 qui] quem L   189-90 meridionalis] minioralis L   192 wesnordes-
wint] wesm- L   197 sunt] sed L   204 quantitatem] qualitatem L
205 rarefactionem] rere- L   207 coactus *correxi* coniuctus/convictus L
208 id est] *rep.* L   211 Nono] neno L   212 habent] habet L   213
anno] quo L   216 tempora] -at L   216 dividit] dicitur? L   217 alium]
aliquando L

crementum et decrementum quedam animancium recipiunt cremen- 220
ta et decrementa et etiam mare fluit et defluit. Nota quod effectus
solis et lune describitur in Genesi quia sunt in signa et tempora, dies
et annos, illuminantes celum, sol in die et luna in nocte. Differt
effectus eorum, quia sol dominatur calidus in terra, luna vero
frigida. Unde in plenilunio solidiora sunt humida et ligna tunc secta 225
f° 75va durant diucius et lunatici gravius paciuntur / et premuntur. Unde
processu[m] lune et recessu multa generantur et corrumpuntur.
Nota duos versus de luna: «lune cremento decerpere poma memento,
sui decremento vestes lavare memento».

Hec est ultima distinctio, que multas habuit questiones. Quarum 230
prima quesivit utrum terre motus etcetera. Solutio: terre motus
fit ex vaporatione calida et sicca inclusa in cavernosa terra, cuius
calor nisus eundem exagitat et propter continuum eius introitum et
exitum commovet ipsam terram et inde movetur et edificia ruere
facit et lapides evertit. 235

Cur increpat aera fulgur. Fulgur est coruscatio sive ignis de
ventre nubis splendens. Tonitrus est sonus nubis qui fit <quando>
vapor calidus et siccus de terra elevatus in aere nubibus aquosis
inclusus, coadunatus et compactus sive ex caliditate ignis inflammatur et in sua nitens essendi vehemencia motus percutit nubem et 240
commovet et sonare facit. Ipsa nubes condensata in aquam et tunc
per accidens augetur sonus et fit forcior. Cuius varii effectus deter-
minari habent supra librum Metheororum. Alii autem dicunt aliter
quod tonitrus ex vapore calido et humido ascendenti ad superiora
nubis et ibi in tantum agitur quod pars nubis erit inflammata et 245
alia humida et pars inflammata concutit secum partem autem humi-
dam, ita quod apparet ignis et sic sonus ac si ferrum ignitum ponere-
tur in aquam. Et nota quod tonitrus est duplex, coruscans et non
f° 75vb coruscans. De non coruscante nihil / ad propositum. Tonitrus
coruscans sic diffinitur: tonitrus est vapor igneus de terra elevatus 250
et in ventre nubis conclusus volens exire et non potens.

Et utrum maris. Nota mare in die naturali effluit a littore suo
quo et fluit ad aliud litus, ipsum replendo bis ad minus. Huius causa
est quia in septentrionali generantur aque multe propter frigus vehemens in tantum quod loci illius capacitas retinere non possit, sed 255

---

222 tempora *correxi* (*cf.* Vulg. Gen. 1, 14) ipse L   223-224 Differt effectus
correxi effect L   226 *post* premuntur *add.* et L   227 lune] solis L   236
increpat] incertat? L   239-40 inflammatur et] et inflammatur L   241
et tunc] *rep.* L   248-9 et non coruscans] *rep.* L   255 illius capacitas]
illud rapacitatis L

effundit ad orientem et occidentem et meridiem ubi privatio solis
eam (aquam) consumit et quanto plus illud consumit tanto plus
id aucmentatur. Unde necesse est eas tunc fluere et non refluere et
hunc fluxum plena (luna) aucmentat. Alii autem dicunt quod
quedam virtus supercelestis incorporatur aquis maris propter 260
quam eius continuum motum movet mare et facit eum fluere, et
talis potest esse luna.

Gustusque. Nota quod subtilior pars maris virtute solis vel stellarum a superficie eius elevatur et ab eius fundo vapor terrenus et
siccus usque ad eius superficiem levatur per calorem quem frigus 265
constans fortificat ita quod vaporem in cahos adduxit et talis vapor
adustus salcedinem in mari facit, sicut et si fuerit vehementer
adustus vapor amaritudine, sicut cineres aquam per eos fluentem,
amari<fi>cat. Alii autem dicunt quod vaporibus maris subtilibus
sursum elevatis tenet ibi aquas grossiores. Cui (mari) incorporatur 270
ipse sol et propter continuum eius s<p>lendorem et estum flu-
f° 76ʳᵃ dissimum mare redditur amarum quod patet / in tabo: elevatis eius
vaporibus ibi subtilibus grossiores ibi remanentes amarificat per
calorem. Philosophi autem rationem aliam assignant, scilicet
talem quod prima causa mare salsum creavit ne propter multitu- 275
dinem et dulcedinem aquarum et frequenter in uno loco maris
putrescant et cete grandia pereant.

Que natura etc. Solucio huius est quod quedam pennata ita sunt
complexionata quod illud elementum (?) ignis predominatur.
Frigore autem aeris in hyeme attendendum est quod eis est contra- 280
rium, transvolant ad regiones calidas. Quedam etiam plumis
candentibus in cavernis terre abscondunt se usque ad tempus vernale et calore aeris rediente fortificatur calor eorum et tunc reducun-
tur unde prius recesserunt.

Quid grandinis. Ad hoc dicendum est quod grando fit ex vapore 285
grosse aquatico ad medium aeris evolato et ante resolutionem eius
in aquam adveniente parum de frigore fit nix, quia nix nihil aliud
est nisi aqua condensata. Aut post resolucionem et hoc distinguitur: aut adveniente multum de frigore et fit grando grossarum
parcium, aut parum de frigore et multum de calore <et> fit 290
pluvia.

Nebule. Nota quod tria sunt genera nebularum. Quedam enim

256 ubi] ut L   257 tanto] tamen L   261 quam] que L   263 virtute]
-tem L   270 aquas] quedam L   286 aeris] naturali L   287 frigore]
-giore L   288 Aut] quot? L

provenit ex locis humidis et paludosis in estate, que si ascendit est
causa pluvie; si autem descendit est causa serenitatis. Quedam
autem provenit ex motibus (*lege* montibus? *melius*: fluviis)et si illa 295
diu fuit durans, corrugit segetes ita quod panis ex illis factus erit
amarus in gustu et potus inde factus generat nauseum. Tercia vero
provenit ex mari quia sole existente in aquario nimis solet esse
continua.

  An virtus. Ad hoc respondent philosophi quod hoc fit ex natura 300
f° 79ʳᵇ naturante que dedit vir/tutem supernaturalem tribus. Unde versus:
«virtus est in verbis, in gemmis sic et in herbis, maior in verbis,
minor in gemmis et in herbis».

  An attractio adamantis sit ex natura lapidum tantum an ex
lapidibus et auro simul compositis. Ad hoc dicendum est quod sit ex 310
virtute ipsius lapidis dummodo attractio sit per mediam distanciam et cum a hoc (?) sit incomplete. Huius ratio est quia virtus
auri confortat virtutem adamantis.

  Quid pluvie. Ad hoc dicendum est quod dulcedo pluvie fit ex
vapore frigido ad medium celi elevato et propter distanciam de- 315
scendendi adveniente calore purgatur et temperatur eius frigiditas
ita quod dulcis nobis apparet.

  Putei hiemalis. Ad hoc dicendum est quod in hieme pori terre
constringuntur et includitur aer calidus et ex aere sic incluso calefiunt aque inferiores. Tempore autem estivali econtrario fit, nam 320
calor apperit poros quibus appertis exit caliditas in ea inclusa et
quia terra naturaliter est frigida, ideo frigescunt aque inferiores.

  Visus. Nota ad emissionem visus requiritur radiorum emissio
quia oculis clausis nemo videt medium illuminatum, id est aere<m>
quia aere obscurato non videtur medium obstaculum, quia si est 325
ultra medium, impeditur visus. Et nota quod dicunt philosophi
quod tria sunt genera visus. Quidam enim quanto propinquius
vident, tanto melius et subtilius vident, et illi habent albuginem
f° 76ᵛᵃ dominantem in oculis suis sive / elementum quod est terra. Alii
autem quanto remocius vident, tanto melius dummodo ad mensu- 330
ram debitam, et illi dicuntur habere cristallinum dominantem in
oculis suis sive hoc elementum quod est ignis. Quorum quidam
habent maxime in memoriam (? *lege* tantam superhabundantiam?,
cf. p. 126) quod de nocte vident, ut lupi et mures. Alii autem quanto

---

293 paludosis] pul- L   301 supernaturalem] super naturam L   315
medium] modum L   324 vident] -ntur L   334 *post* mures *add.* et L

mediocrius vident, tanto melius et subtilius et dicuntur habere vi- 335
treum dominantem in oculis suis vel hoc elementum quod est aer.
Et sic patet illud.

Colorum concretio. Concretio id est proportio. Solucio huius
patet per rectam proportionem que fit ex confectione albi et nigri,
ex quibus conficiuntur medii colores sicut in libro docetur de colori- 340
bus. Et in hoc sufficit Deo gracias.

Expliciunt soluciones speciales questionum supra Boetium de
disciplina scolarium a magistro Engelkino compilate. Finito libro
reddatur gloria Christo.

INDEX DES SOURCES CITÉES

(l'astérisque(*) indique les sources citées littéralement,
mais sans référence explicite)

Citations non identifiées voir ci-dessus Averroès, (Ps-)Ovide, Philippus.

INDEX DES MOTS LATINS

(Les chiffres renvoient aux questions et aux lignes de leur texte. On trouvera les mots sous leurs formes classiques. Seuls ont été expliqués les mots peu usuels et ceux qui ont plus d'un seul sens dans notre texte).

attractio: III, 5-1 attraccio adamantina

auctor: III, 7(b)-30 autor sex principiorum

aureus: II, 8-25 aurea catena

aurora: *unum ex novem cometis*: II, 3-57

australis: *de circulo sive zona*: I, 7-23; *de vento*: II, 7-1; -3

autumnalis: III, 1(c)-224 ad equinoctium autumpnale

aux: III, 1(c)-211 ad oppositum augis

avis: III, 2-1

benignitas: *planetae*: II, 6-6 ob benignitatem Veneris

benignus: *de planetis*: II, 6-2; -27

benivolus: *de planetis*: II, 6-14

bestia: II, 9-22; -24

bifurcatus: I, 4-2

bonitas: *planetae*: II, 6-3

bracchium: I, 5-13

brumalis: *de circulo sive zona*: I, 7-23

Burgundius: II, 4-57/8 regio Burgundiorum et Francorum

caelestis: III, 1(c)-172 corpora celestia; III, 5-12 lux celestis; -13

caelum: *passim in* I, 1, I, 3 *et* I, 4; *cf.* aereus, cristallinus, empireus, stellatus; *etymologia*: I, 1-30

calefio: I, 6-3; -9; -15; -16

calesco: I, 6-5 aqua non ... calida sed calescens; -7 frigescens et calescens

caliditas: III, 6(b)-20/1 causa caliditatis putei yemalis

calidus: *de qualitatibus elementorum*: I, 5-17 (ter); -25; *de Venere*: II, 6-27; *de vento*: II, 7-2 *et saepius in* II, 7; *de vapore* III, 1(b)-58 *et saepius in* III, 1(b); I, 6-6 esse calidum; III, 1(d)-266 agens ... calidum

cancer: *de astro*: II, 6-20 (*bis*); -23; -24

candela: III, 1(b)-104 inpressio que dicitur candela

cannalis: III, 1(c)-157 redit mare ad proprias cannales

caritas: I, 3-14 karitas

caropos, *vid.* charopos

casa: I, 1-30 casa elyos (caelum)

catena: II, 8-25 aurea catena

cathedra: II, 1-3

causa: I, 1-12 prima causa; II, 3-4; *et cf.* effectivus, efficiens, immediatus, primarius, secundarius

causatum: III, 1(c)-247; -258

caverna: III, 1(a)-7; III, 2-12

cereus: III, 6(a)-17 vas cereum

charopos: χαροπός, *bleu-gris*: III, 7(b)-47

cherubim: I, 1-34; I, 2-16

choit, *vid.* coeo

cholera: III, 7(b)-57 coleram

cholericus: II, 4-6 (*bis*) colericus

Christus: II, 3-48

circularis: I, 4-66 motus ... orbicularis sive circularis; -66; -70

circulariter: II, 2-5; II, 3-2

circulus: *caeli*: I, 7-7; -11; II, 1-4; -7; -12; -15; III, 1(c)-213; -215; = *zona*: I, 7-22; *stellarum et planetarum*: II, 2-2; II, 5-6 *et saepius*; III, 1(c)-203; -209

citrinus: *color*: III, 7(b)-41; -46

clima: II, 4-40 septem sunt climata; *et saepius in* II, 4

coeo: III, 3(b)-41 choit

colon χῶλον: II, 1-17

color: III, 7(b)-16 *et passim in* III, 7(b)

coloratum: III, 7(a)-4

colurus: II, 1-15; -16; -19

comatus: II, 3-5 stella comata; -46

cometa: II, 3-1 *et passim in* II, 3

cometes: II, 3-27 item cometes ... dicitur (cometa)

commentator: I, 1-4; -7; -27; I, 2-6; I, 4-62/3; I, 6-4; II, 4-41; III, 2-8

commixtio: *elementorum*: II, 8-8

complementum: III, 1(c)-257

complexio: I, 2-10; II, 4-25/6; -29; -66; II, 6-26; III, 4-6; III, 7(b)-44

complexionatus: II, 4-22; -23

componens: III, 4-1 ex componentibus

comprehendo: II, 4-80 forme ... comprehense; -81; -84

comprehensio: II, 4-79 in comprehensione forme virilis; -85

compressio: III, 1(b)-58 compressione vaporis sicci

comprimo: *de vapore*: III, 1(b)-53/4

helios: I, 1-30 casa elyos
hemisphaerium: II, 6-12 nostro emisperio
herba: II, 9-22 (bis)
hiemalis: III, 1(c)-225 ad solstitium
hyemale; III, 6(b)-21 caliditatis
putei yemalis
hierarchia: I, 1-34 tribus suppremis
ierachiis: -37; -40
hirundo: III, 2-14
horizon: III, 1(c)-164
humidum: III, 1(c)-240 humidum
maius; -241 humidum minus; III,
1(d)-270 humidum aqueum; -274;
-288; -289 humidum subtile
humidus: de qualitatibus elementorum: I, 5-15 (ter); -25; de Venere:
II, 6-28; de vento: II, 7-3 et saepius; de vapore: III, 1(a)-15; III,
1(b)-54 et saepius
humor: de quatuor humoribus: II, 4-
7; III, 7(b)-40; -56; -58; de humoribus oculi: III, 7(a)-9; -11; -14
hyle: I, 5-9 yle ligamenta; -9 est ...
yle primordialis materia
hypophania: I, 2-55 ypofania

ictus: III, 1(b)-43 ictus precedit fulmen; -45
identitas: I, 5-33 ydemptitas
ignis: unum ex quatuor elementis: I,
4-40; -55; -56; I, 5-7; -11; -17; I,
6-2 et saepius; III, 7(a)-11; de caelo
igneo: III, 1(b)-95 spera ignis;
-96; -102 ignis perpendicularis;
-109 ignis longus minutus
imber: III, 6(a)-9 ymber; -13
immaterialis: I, 1-12
immediatus: III, 1(c)-251 causa propria et immediata; -254
impressio: aeris: III, 1(b)-104 et
saepius
inanimantia; -orum: II, 4-17 animancia et inanimancia
incarnor, -ari: I, 1-14; -15; I, 2-8
incorporatio: III, 1(c)-144 per incorporacionem radiorum; III, 5-6; -7
incorporo: III, 1(c)-137; -166; -253;
III, 1(d)-262; -280; III, 5-4; -6;
-7; -9
indigestio: III, 7(b)-46
indulcesco: III, 1(d)-275/6
infecundus: de Saturno: II, 6-10; -19

infernum: II, 9-20
inflammatio: vaporis: III, 1(b)-60;
-61; -64; nubis: III, 1(b)-87/8
inflammo: III, 1(b)-63/4; -68; -83;
-87; -88; -107
inflammatus: II, 3-20 per aerem flameum sive inflamatum; -22; -28
ingrosso: III, 1(d)-271 condensare et
ingrossare
inhabitabilis: I, 7-6; -9
inhabito: de zonis: I, 7-3 et saepius
iniquitas: I, 2-30
inopos, vid. oenopos
intensus: de coloribus: III, 7(b)-41;
-42
interemptio: I, 4-51 per interemptionem maioris
interseco: II, 1-7
interstitium: III, 1(b)-56 ad locum
medii intersticii aeris
inturgesco: III, 1(c)-145; -149
Iuppiter: de planeta: II, 3-59; II, 4-
9; -11; -12; -48 Iubiter; II, 5-32;
-39

ksyanos, vid. cyanos

lacteus: III, 7(b)-46
lapis: III, 4-1 virtus lapidis
latitudo: III, 1(c)-213
leo: de astro: II, 6-23
levitas: elementorum: II, 8-4
ligamentum: I, 5-9 yle ligamenta
linealis: I, 4-66 motus localis quidam
est linealis sive rectus
littera: texte, mots: II, 4-37 per exposicionem litere; III, 7(b)-28
lividus: III, 7(b)-46
localis: I, 4-66 motus localis
localiter: I, 4-8; -73
locus: III, 3-11 circa locum medium
longitudo: III, 1(c)-209 accessus lune
ad longitudinem sui circuli; -211
longus: III, 1(b)-109 ignis longus minutus
lucina: 1. II, 5-12 dicitur luna quasi
lucina id est a luce nata — 2. =
luscinia, rossignol: III, 2-4
lumen: II, 3-23 lumen oblongum;
III, 1(b)-42 prius percipitur lumen
quam sonus
luminare: III, 1(c)-240 luminare
maius; -240 luminare minus